l

빌런이 어때서요?

발　행 | 2024년 01월 16일
저　자 | 김태희
그　림 | 신지수
펴낸이 | 한건희
펴낸곳 | 주식회사 부크크
출판사등록 | 2014.07.15.(제2014-16호)
주　소 | 서울특별시 금천구 가산디지털1로 119 SK트윈타워 A동 305호
전　화 | 1670-8316
이메일 | info@bookk.co.kr

ISBN | 979-11-410-6685-7

www.bookk.co.kr
ⓒ 김태희 2024

빌런이
어때서요?

김 태 희 지음

CONTENT

프롤로그

첫 번째 에세이 '내 장례식에는 육개장이 없다.'를 메신저 프로필 사진으로 올려놓고 주변 지인들에게 많은 연락을 받았다. 대부분 장례식이 웬 말이냐며 곧 죽음이라도 앞둔 사람을 대하듯 걱정스러운 존재가 되어버렸다. 그래서 이번에는 좀 덜 염려스러운 제목을 쓰기로 했다. '죽음에 관한 너의 책을 기다리며 삶에 관한 책을 선물한다'라는 친구의 편지에 이번에는 나의 삶에 대해 써보기로 했다. 죽음과 삶의 균형을 맞춰가고 있는 셈이다.

빌런이라는 단어는 라틴어 '빌라누스(villanus)'에서 유래된 것으로, 빌라누스는 고대 로마의 농장 '빌라(villa)'에서 일하는 농민들을 가리키는 말이었다. 빌라누스들은 차별과 곤궁에 시달리다 결국 상인과 귀족들의 재산을 약탈하고 폭력을 휘두르게 되었다. 이처럼 아픈 과거로 인해 결국 악당으로 변모하게 되었다는 점에서 '빌런'을 '악당'을 뜻하는 말로 사용하기 시작했다. 그러니까 빌런이 처음부터 악당이었다는 건 아니라는 거다. 선량만 농민들이 차별과 곤궁이라는 매질에서 살아남기 위해 어쩔 수 없이 악당이 되었다는 거다. 나도 엄마 뱃속에서부터 뾰족하게 태어났던 건 아니다. 아닐 거다. 세상에 태어나 치이고 찢기며 짓밟히다 보니 진리에 맞지 않는 일들과 불의를 종종 보다는 좀 더 자주 맞닥뜨리게 되었다. 그것에 지기 싫어 싸우다 보니 어느새 나는 다른 사람들과 달라져 있었다. 한때는 왜 나는 남들과 다를까 내가 나쁜 걸까 고민하고 변하려고도 해보았지만, 사람은 고쳐 쓰는 게 아니라고 변화는 생각보다 쉽지 않았다. 되지 않는 일로 나를 괴롭히기보다는 더 건설적인 악당이 되려고 노력하는 것이 훨씬 빠르고 효율적이었다.

영화 <추격자>의 슈퍼 아줌마 같은 빌런을 말하는 게 아니다. 굳이 불필요한 오지랖으로 다른 사람의 목숨을 위협하는 일 따위는 하지 않는다. 영화 <악마를 보았다>의 살인 강간이 밥 먹는 것보다 쉬운 장경철 같은 빌런은 더더욱 아니다. 장경철은 진짜 악마로 부르는 게 맞지 않을까 싶다. 이 책의 빌런은 오히려 그 반대다. 하고 싶은 것들은 하고 살되 내 욕심을 채우기 위해 타인에게 피해를 주는 일은 지양한다. 아무런 이유 없이 먼저 물지는 않지만 당한다면 열 배로 갚아준다. 몰래 바늘에 손을 찔려 잠만 자는 숲속의 미녀보단 사랑에 열정적이고 자신의 사람들을 지키기 위해 송곳니를 드러내고 앞장서는 마녀 말레피센트가 좋다. 얼굴 반반한 왕자 한 번 더 만나겠다고 목소리를 포기하고 정작 고백은 하지도 못하는 인어공주보다는 세상의 시선에 짓눌리지 않고 당당히 자신만의 색깔과 패션을 보여주는 본투비 반반 크루엘라가 멋지다. 이들을 빌런이라 부른다면 나도 이 세상의 빌런이 되련다. 어쩌면 이미 빌런이라 불리고 있을지도. 거기 스스로에 대한 비난과 자괴감 그리고 왜 난 다르지라는 외로움에 파묻혀 구석에 찌그러져 있는 당신. 나와 함께 일어나 제대로 된 악당이 되어보자.

1. 빌런의 시작

니모와 도리 혹은 루카가 이런 기분이었을까. 발을 이용해 지면 위를 걷는 것보다 물 위에서 팔다리에 온 힘을 빼고 멍하니 천장을 바라보며 둥둥 떠 있는 게 행복할 때가 있었다. 귀는 여전히 물속에 잠겨 모든 소리가 웅웅 알아듣지 않아도 될 것처럼 떠다니고 발끝과 두 볼 그리고 약간의 허벅지와 손가락 끝은 물에 담가졌다가 다시 공기 중으로 드러나고 다시 물에 잠기는 기분 좋은 찰방거림을 느꼈다. 파도가 이리 치면 이리로 흔들리고 저리 치면 저리로 편안하게 흔들리는 미역 같은 행복감 이었다. 0.01초에 따라 내 엉덩이에 불이 나고 말고가 정해지지 않을 때 이야기이다.

수영에 한창 재미를 붙인 엄마가 물이라고는 아빠가 돌아가시기 전 몇 번 따라가 본 계곡에 발을 담가본 게 전부인 나를 동네 수영장으로 데리고 갔다. 수영이 재미있으셨던 건지 수영 수업이 끝나고 모이는 모임이 재미있으셨던 것인지는 모르겠으나 벌거벗은 나를 수많은 아주머니가 둘러싸고는 김이 나는 뜨거운 사우나실에서 "네가 태희구나!"라고 꽤 부담스럽게 맞아주신 기억난다. 나는 엄마처럼 단체 강습이 아닌 일대일로 수영을 배우는 개인 강습을 받았다. 예체능은 한번 배울 때 제대로 배워야 한다는 주변 아줌마들의 조언을 실천하실 모양이다.

열 살의 나에게 당시 선생님은 엄청나게 큰 사람이었다. 키는 고개를 뒤로 젖혀야 얼굴을 볼 수 있을 만큼 컸고 다리와 배꼽에는 신기하게 털이 엄청 많았다. 소리를 한번 지르면 수영장이 쩌렁쩌렁 울릴 정도로 내 이름이 다 들렸고 양손을 모아 물총을 쏘는 듯한 장난을 즐겼다. 물론 난 그 선생님이 달갑지 않았다. 처음부터 그랬던 건 아니었다. 엄마 앞에서 처음 인사를 건네는 선생님의 목소리는 다정했다. 중간중간 패인 자국이 있는 오래된 스티로폼으로 된 키판에 오른손 왼손을 번갈아 잡아주며 음파음파 숨 쉬는 법을 가르쳐주는 그때의 선생님은 웃고 있었다. 하지만 더는 엄마의 참관이 없어지고 내 몸이 물속으로 들어가면서부터 선생님의 목소리와 표정은 변했다. 쥐가 날 정도로 있는 힘껏 곧게 발을 뻗어 발차기하지 않으면 바로 내 발목을 잡고 세차게 휘둘렀고 호흡은 팔을 여섯 번이나 돌리고 나서야 겨우 한번 쉴 수 있었다. 0.01초의 기록을 재는 초시계가 등장하면서부터 난 본격적으로 맞기 시작했다. 코치는 사람들이 보지 못하는 키판을 저장해두는 창고에서 물볼기라도 때리듯이 키판으로 수영장 물이 뚝뚝 떨어지는 내 엉덩이를 있는 힘껏 때렸다. 왜 맞아야 하는지 이유도 몰랐지만 그렇게 맞고 나면 왠지 모를 억울함과 분노에 휩싸여 채찍을 맞고 달리는 경주마처럼 빨라졌다. 그렇게 점점 속도가 빨라지는 나를 그 동네 수영장에서 가장 빠른 옆 라인 동갑내기 남자아이와 경기를 시켰고 지면 또 맞았다. 이긴다고 해도 딱히 칭찬이나 좋은 건 없었다. 각자 코치들이 그 경기로 밥을 사는 내기를 하는 모양이었다. 누군가의 재미와 과시를 위해 존재하는 투견이나 투계가 된 기분이었다. 수영 선생님을 밀어버리고 싶었다. 물론 물에 빠진 선생님에겐 아무 타격이 없겠지만 그 정도로 내가 할 수 있는 건 없었다. 엄마에게 울면서 일러도 봤지만, 선생님이 다 너 잘되라고 하는 거라며 딱히 별다른 조치를 취해주지는 않으셨다. 폭력이 만무한 학교 학원이었던 그 시절이란. 배영은 고개를 물 위로 계속 내놓고 팔과 발만 저으면 되는 비교적 편안한 수영의 형태라 생각할 수도 있지만 미친 듯이 속도를 내야 할 때의 배영은 당최 숨 쉴 틈이 없어진다. 코와 입으로 수영장 특유의 강한 락스 냄새가 그득 담긴 물이 흠뻑 들어가면 머리가 띵 해진다. 그리고 만국기가 펄럭이는 천장을 보고 있으면 내가 올림픽에 나갈 것도 아닌데 무엇을 위해 이렇게까지 맞아가며 여기서 이러고 있는지 울컥 억울해진다. 수경은 눈물로 점점 차오르고 울며 내뱉는 숨 때문에 호흡은 느려진다. 수영장 밖에서는 "야!! 뭐해 인마! 제대로 안 해?!" 소리지르며 매섭게 부는 호루라기 소리에 뒷덜미가 찌릿했다.

못 해 먹겠다. 그대로 물 안으로 들어가 잠영으로 달아나기 시작했다. 수영장 바닥에 바짝 닿아 레일을 넘고 넘어 여자 탈의실로 그대로 달려갔다. 남자였던 코치 선생님이 쫓아오지 못하게 여자 탈의실로 들어갔으나 분명 씻고 옷을 갈아입고 나갈 때쯤이면 수영장 문 앞에서 잡아먹을 듯한 눈을 부라리며 기다리고 있을 게 뻔했다. 쫓아올 기회조차 만들면 안 되었다. 순식간에 일어난 일이었다. 나도 무슨 정신으로 그랬는지 모르겠다. 그저 그 상황을 벗어나고만 싶었다. 물이 줄줄 흘러내리는 수영복 위에 잠바 하나만 걸치고는 맨다리와 젖은 머리로 달렸다. 집으로 달리면 엄마에게 혼날 것 같고 그렇다고 수영장 어디에 숨어 있으면 코치 선생님께 들킬 것 같았다. 무작정 달렸다. 사람들은 한겨울에 수영복만 입고 달리는 열 살 아이를 이상한 눈으로 쳐다보았다.

수업시간에 무례하게 도망쳐 나온 내가 빌런이었을까 처음 개인 강습을 담당하게 된 열정 넘치는 신임 코치가 빌런이었을까. 엉덩이가 멍이 들 정도로 매를 맞고 울며 달려온 나를 다시 수영장으로 되돌려보낸 엄마가 빌런이었을까. 그렇게 사랑했던 물만 보아도 소독약 냄새만 맡아도 숨이 막혀오고 소름이 돋는 건 고통이고 슬픔이었다. 그 날 이후로 나는 10년 동안 그 흔한 물놀이조차 가지 못했다.

어쩌면 그때부터 나의 뾰족한 가시가 하나 튀어나오기 시작했을지도 모르겠다. 그렇게 내 머리에 난 작은 뿔이 커져서 나를 빌런으로 만들게 될 줄은 몰랐다.

2. 쪼끄만 할머니

　나에게는 두 분의 외할머니가 계시다. 많이 할머니와 쪼끄만 할머니다. 누가 처음 그렇게 부르기 시작했는지 알 수는 없지만, 친척 어른들부터 아이들까지 모두 많이 할머니와 쪼끄만 할머니로 불렀다. 많이 할머니는 말 그대로 모든 게 많았다. 돈도 많고 살도 많고 자식도 많다. 우리 엄마와 이모들, 삼촌들을 낳은 생물학적인 외할머니시다. 쪼끄만 할머니는 모든 것이 쪼그맣다. 키는 내가 초등학생 때 이미 할머니의 키를 훌쩍 넘어 할머니가 굽은 허리를 다 펴셔도 내 어깨까지 밖에 오지 않는 정도였다. 돈도 조금 아니 거의 없다고 봐도 무방할 정도였으며 자식은 한 명도 없었다. 엄마와 이모, 삼촌 아무도 낳지 않았지만, 그들과 그들의 자식들을 모두 키워준 할아버지의 첫 번째 부인이시다. 그 시절 많은 집안이 그러했듯 첫 번째 부인이 자식을 낳지 못하자 외할아버지는 두 번째 부인을 들인 것이다. 그 두 번째 부인이 많이 외할머니인 거다.

아들을 낳지 못한 죄로 심지어 아예 자식을 낳지 못한 매우 부도덕한 인간 취급을 받으며 쪼끄만 할머니는 평생을 집안의 온갖 궂은일을 도맡아 하며 사셨다. 누구도 할머니가 돈 한 푼 안 받으시면서 그렇게 이집 저집 당연히 일을 해주러 다니시는지 궁금해하거나 대신 따져 묻지도 않았다. 쪼끄만 할머니는 그냥 태어날 때부터 원래 그러한 존재로 태어나 쪼끄만 할머니로 사시는 줄 알았다. 어릴 때 한 번이라도 그 뜻을 생각해봤다면 쪼끄만 할머니를 쪼끄만 할머니로, 많이 할머니를 많이 할머니로 부르지 않았을 텐데. 지금 생각하면 우리 쪼끄만 할머니한테 아주 많이 미안하다.

어릴 때 엄마와 아빠 모두 일을 하셨다. 바쁜 부모님을 대신해 오빠와 언니는 쪼끄만 할머니의 손에 길러졌고 내가 태어날 즈음엔 작은 삼촌의 아이를 보러 거처를 옮기셔야만 했다. 오빠나 언니처럼 할머니에게 온전하게 길러진 것은 아니지만 쪼끄만 할머니는 많이 할머니가 사시는 작은 삼촌네 집에 가는 유일한 이유이자 따뜻함이었다. 내가 초등학교를 졸업하기 전 쪼끄만 할머니는 큰 삼촌의 넷째를 돌보러 우리가 살던 서울에서 삼촌이 사는 인천으로 거주지를 옮기셔야만 했다.

할머니가 어디 사실지 같은 자유 의지는 존재하지 않았다. 누군가 아이를 낳으면 그 아이를 돌보기 위해 그리로 옮겨 가셔야 했다. 눈치챘겠지만 쪼끄만 할머니를 많이 좋아했다. 할머니가 떠나는 게 싫었다. 어릴 때부터 다른 사람의 무릎에 잘 앉지 않는 깍쟁이였지만 쪼끄만 할머니에게만은 잘 업히고 어리광을 부렸다.

지금 생각하면 그게 쪼끄만 할머니를 더 괴롭히는 거였을지도 모르겠다. 엄마와 이모들보다 집안의 기둥은 남자라며 삼촌들만 좋아하는 많이 할머니보다 항상 바쁘고 엄한 엄마보다 기억이 시작되던 나의 대여섯 살부터 편찮으시기 시작했던 아빠보다 나를 가장 많이 안아주고 쓰다듬어 준 존재다.

그런 할머니가 이제 내 옆에 없을 거라 생각하니 덜컥 겁이 났다. 지금은 지하철도 있고 경기도가 마음만 먹으면 금방이라도 갈 수 있는 거리지만 열 살 남짓한 아이에겐 그리고 서울에도 몇 개의 호선밖에 존재하지 않았을 그때의 인천은 나에게 다시는 돌아올 수 없는 곳처럼 너무 멀게 느껴졌다. 새침데기처럼 삐진다고 해결될 상황이 아니라는 걸 그 어린 나이에도 알 수 있었다.

큰삼촌네 집에서 하룻밤만 코 자고 올 거라는 할머니의 말이 거짓말이라는 걸 직감적으로 알 수 있었다. 할머니를 못 가게 잡아야만 했다. 필사적으로 매달렸다. 깡마르고 힘없는 할머니는 어린 나의 매달림에도 휘청거렸다. 하지만 집안의 일꾼으로만 사시던 할머니에게 선택권 따위는 없었다. 도망치듯 내 손을 뿌리치고 가시는 할머니의 고무줄 바지가 다 늘어날 정도로 죽을 힘을 다해 할머니를 꽉 쥐었고 그런 나를 오빠는 말렸다.

안 되겠다. 더 방법이 없었다. 발을 동동 구르기 시작해서 점점 길바닥에 드러누웠다. 무릎까지 올려 신은 하얀 반 스타킹이 발목까지 줄줄 내려가고 반짝이 구두의 리본이 다 떨어져 나갔다. 5대5로 정확히 반을 갈라 쫀쫀하게 양 갈래로 묶은 머리는 봄날의 민들레꽃 씨앗처럼 폴폴 날아다녔다. 길거리에 있는 모든 사람이 나를 쳐다보았다. 애틋하다 못해 서럽기까지 하고 죽으러 가는 저승길에서도 그렇게 울지는 않았을 거다. 연신 '안돼! 할머니 가지 마! 안돼!'를 외치며 나를 말리는 오빠와는 반대 방향으로 두 팔과 두 다리를 할머니 쪽으로 뻗어 발버둥 쳤다.

당시 할머니의 표정은 보지 못했다. 평소에는 누구 앞에서 눈물 한 방울 보이기 싫어 입술을 깨물며 참던 저 어린것이 저렇게 펑펑 울고 있는 게 마음이 아프셨을까 아니면 어린 애들은 지긋지긋하다 못해 길거리에서 민망하게 치마가 다 뒤집힐 정도로 난리를 치는 내가 창피하셨을까. 멀어져가는 쪼끄만 할머니의 뒷모습을 눈물에 가려 제대로 담아두지도 못했다.

아마도 어린 나는 그게 할머니와의 마지막이 될 거라는 걸 알았던 것 같다. 그 날 이후에 처음 본 쪼끄만 할머니의 모습은 습기라고는 하나도 없는 늦가을 낙엽처럼 바싹 말라 바닥에 거의 붙어있다시피 누워 계셨고 앉거나 일어서지도 못했으며 말씀을 제대로 하지도 못하셨다. 돌아가시기 직전에야 큰삼촌이 사는 인천에 가서 만나 뵐 수 있었던 거다. 촉촉하게 젖은 눈으로 나를 애처롭게 물끄러미 바라보실 뿐이었다.

불쌍한 우리 아기. 아빠도 일찍 세상을 뜨고 항상 살아남으려는 각오로 누구에게도 온전히 편안하게 마음을 주지 못한 불쌍한 우리 태희. 라고 말씀하고 계신 것 같았다. 그렇게 새카맣게 변한 할머니는 돌아가셨다. 평생 다른 사람 눈치만 보다가 구박만 받다가 일만 하다가 가셨다. 하지만 지금의 나는 안다. 우리 쪼끄만 할머니가 얼마나 많은 사랑을 받으셨는지. 내 온 마음을 다 바쳐 믿고 사랑할 뿐 아니라 우리 오빠, 언니를 비롯해 직접 손으로 키워준 사촌들의 사랑을 듬뿍 받고 지금은 너무 행복하게 계실 거라는 걸 안다.

나중에 할머니를 다시 만나게 된다면 혹은 꿈에서라도 쪼끄만 할머니를 보면 할머니는 세상에서 제일 큰 대왕 할머니라고 불러 줘야지. 내가 그리고 우리가 그만큼 할머니를 사랑해왔다고 말해 줘야지.

3. 꼬마 빌런

요즘에도 우주소년단이나 걸스카우트가 있는지 모르겠다. 내가 초등학교에 다닐 때는 아람단이라는 가히 넘을 수 없는 소위 힘과 권력을 가진 집단이 있었다. 베레모를 살짝 옆으로 눌러쓰고 조끼에 그냥 많으면 멋져 보이는 배지를 단 게 뭔가 FBI 같은 느낌이랄까. 아무튼, 난 너희들과는 달라 우리만의 고귀함이 있지라는 분위기의 지금 생각하면 웃기지만 소위 있는 집 자식처럼 보였다.

그렇게 청청패션이 부러웠던 나는 엄마를 졸라 아람단에 가입했다. 이제 막 옷을 구입하고 첫 활동을 시작할 때였다. 탐험을 미리 연습한다는 명목으로 학교 운동장에 텐트를 치고 1박 2일 캠프를 하는 행사가 있었다. 당시 나는 4학년이었고, 한 살 많은 5학년 선배들이 함께했다. 그러다 어떤 일이 벌어졌다. 정말 너무 사소해서 어떤 일인지 기억도 안 나는 그런 일이었다. 하지만 열

두 살 5학년 선배들에게는 청천벽력과도 같은 너무 큰 일이었나 보다. 4학년을 전부 집합시켰다. 청조끼 왼쪽 가슴에 알록달록 배지를 주렁주렁 달고 머리는 허리까지 내려오는 뽀글이 파마를 한 눈꼬리가 많이 올라간 열두 살 여자아이가 앞에 나섰다. "야! 너희 잘못했어 안 했어? 잘못했지? 그럼 단체 기합받아야 하는 거 알아 몰라? 자기가 잘못했다고 생각하는 사람은 한 걸음씩 앞으로 나와. 당장!" 음, 난 무슨 일인지도 몰랐고 아무리 생각해도 내가 뭘 잘못한 건 없었다. 당연히 앞으로 나가지 않았다. 하지만 나를 제외한 모든 4학년이 앞으로 한 걸음씩 나갔다. 자연스레 나 혼자 뒤로 한 발짝 물러난 게 되어버렸다. 너무 단순해서 헛웃음이 나오게 만드는 옛날 코미디의 한 장면인 줄 알았다.

한참을 벙쪄서 나를 바라보던 그 열두 살 아이는 나에게 뚜벅뚜벅 다가왔고 나만 전날 비가 온 덕분에 진흙투성이가 된 운동장에 주먹을 쥐고 엎드려 뻗치라고 했다. 잘못한 게 있다고 인정하며 앞으로 한 걸음씩 나아간 아이들은 멀쩡하게 내버려 두고 잘못한 게 없다고 제자리에 가만히 서 있던 나에게만 체벌하는 것은 어불성설 아닌가. 이유를 물으니 미스코리아 파마머리를 한 그 여자아이는 '그걸 몰라? 몰라서 묻는 거야?'라는 말을 반복할 뿐 제대로 된 대답 한마디를 하지 못했고 나는 당연히 그 자리에서 싫다고 거절했다. 크고 작은 모래알들이 오돌토돌한 운동장 흙바닥에 그것도 주먹을 쥐고 엎드리면 얼마나 아픈지 알고 하는 소리일까. 알고도 시킨 거라면 그 아인 진짜 못됐다. 레이저로 그 자리에서 나를 뚫어버릴 듯한 눈빛으로 양손을 부들부들 떨며 명령 불복종의 기강 문란 위험성에 대해서 고래고래 소리를 지르는 그 아이는 가엽기까지 했다. 80년대 군 독재 시절에 자신의 신념이나 사회적 윤리 따위는 생각지도 않고 계급과 서열에 의해 무고한 시민을 잡아들이고 고문하고 은폐하는 게 아무렇지도 않을 것 같은, 나이에 걸맞지 않은 아주 위험한 그 아이를 그대로 두고는 뒤돌아 집에 와버렸다. 짐은 텐트 안에 그대로 둔 채였다.

엄마에게 아람단을 그만둔다고 했다. 엄마는 단복과 입단비가 아깝다며 한 달도 안 할 거면 그 비싼 걸 왜 샀냐고 타박을 하셨다. 엄마 입장에서는 당연히 그럴 수 있다. 하지만 뭘 잘못했는지도 모르는 상황에서 고작 몇 달 먼저 태어난 사람에게 눈물을 흘려가며 용서를 구하는 애들을 이해하기 어려웠고 특히 그 몇 달 먼저 태어난 애는 너무 이상했다. 뭔데?! 지가 뭔데?! 주어진 작은 권력으로 협업심을 운운해가며 단체 행동을 강요하고 체벌과 기합을 주는 문화가 너무 싫었다. 그때부터인지 모르겠지만 단체 생활에서 선배라는 존재들을 은근슬쩍 피하기 시작했고 성인이 되고 나서부터는 더욱 심해졌다. 신입생 환영회에서 만난 몇몇 선배들에게 학생회에 들어오길 권유받았지만, 그때부터는 노골적으로 선배들을 피해 다녔다. 뭔가에 소속되고 또 이유 모를 상황에서 영문도 모른 채 고개를 숙여야만 하는 생활을 하기는 싫었기 때문이다.

물론 그렇지 않은 단체들이 훨씬 많겠지만, 세상에는 이성적이고 합리적이며 배려라는 걸 할 줄 아는 단체도 분명 존재하겠지만 그렇지 않은 모임이 내 눈엔 좀 더 많아 보였다. 빌런은 혼자일 때가 가장 멋진 것 같다.

4. 빌런을 만들어 낸 진짜 악마

아직도 그 아이의 이름을 기억한다. 애틋하게 가슴 한편이 아련해지는 첫사랑의 이름이라면 좋겠지만 유감스럽게도 어린 시절 나를 왕따시킨 아이의 소름 끼치는 이름이다. 세상 무서울 거 없이 내 발로 지구를 돌리고 있는 줄 알았던 나는 아빠가 돌아가시면서 그 지구를 잃었다. 많이 위축되고 소심해지고 세상으로부터 숨어 있었다. 동네에서 내 이름은 '주인집 막내딸'이었다. 그렇게 불려도 누구나 알아들을 만큼 집과 상가를 여러 채 보유하고 임대 사업을 하던 우리 집은 아빠의 오랜 투병 생활로 인해 재산 대부분을 처분해야 했고 나는 더이상 소위 '집주인 딸'이 아니었다. 기가 센 팔자로 남편을 잡아먹은 동네 과부의 그냥 막내딸이 된 것이다. 매일 술을 먹고 개싸움으로 내기를 해서 돈을 벌던 옆집 아저씨는 어느 날 밀린 집세를 달라고 하던 엄마를 따라 들어와 우리 집 부엌에 있던 그릇을 꺼내어 깨부수며 '남편도 없는 게 어디서 감히'라는 말을 했다.

그 집 둘째는 나와 같은 반이었고 이후로 그 아이는 나에게 말도 걸지 않고 인사도 하지 않았다. 나를 집에 초대해 자신들의 아이와 친하게 지내라던 엄마들은 어느 순간 내가 갈 때마다 내어주던 가운데 쨈이 들어간 동그란 철통에 담긴 서양 쿠키를 사놓고도 나를 부르지 않았다. 엄마 역시 엄마들의 모임에서 모인다는 연락을 받지 않는 것 같았다.

여전히 나는 반장이었고 학교에서 공부를 잘했지만 더는 봉투를 가져다주지 않는 엄마가 실망스러웠는지 담임 선생님은 나에게 가끔 이유 없는 벌을 주곤 했다. 5학년이 되었을 때는 학교에서 유일하게 첼로라는 비싼 악기를 배우던 부잣집 아이가 전교 부회장이 되도록 투표지에 쓴 내 이름을 지우고 첼로를 켜는 아이의 이름으로 바꾸라고 시키던 교감 선생님을 눈앞에서 보았다. 그때부터 난 선생님이란 존재를 절대적으로 존경해야 할 사람으로 생각하지 않기로 했고 그렇게 깨져버린 믿음은 스승의 날 노래를 불러야 할 때 진짜 존경하는 선생님 외에는 입만 뻥긋거리는 가짜 제자로 만들었다.

다시 그 아이로 돌아와 이야기하자면, 그 아이는 자신이 마음에 들지 않는 아이들을 돌아가면서 지목하여 왕따를 시키는 형식이었는데 어느 날 내 친구가 그 아이의 레이다 망에 포착되었다. 학교에 한 살 많은 청각장애가 있는 언니를 도와주는 착한 친구였는데 무슨 일이 있었는지 그 친구의 우유가 자꾸 책상에 흩뿌려져 있고 가방은 쓰레기통에 버려져 있는 일이 잦아졌다. 평소같았으면 이상하다는 낌새만 채도 바로 그 친구에게 달려가 어떻게 된 일이냐고 물었겠지만, 그즈음의 난 다른 사람의 아픔을 돌볼 여유가 없었다. 어느 날 책상 서랍에 쪽지가 들어있었다. 그 친구였다. 도와달라는 내용이었다. 그 아이가 자꾸 친구들에게 없는 힘담을 지어내고 자기를 괴롭힌다며 그 아이가 하는 말을 자기에게 쪽지로 전달해주면 그 내용을 증거로 엄마와 학교 선생님께 말하겠다고 했다. 그렇게라도 친구를 도울 수 있다면 내가 할 수 있는 일을 해야 한다고 생각했다. 사실 그 아이가 대단한 권력을 가진 것도 아니고 싸움을 잘하는 것도 아니었다. 성경에 나오는 뱀처럼 간사한 말로 사람을 요리조리 잘 뭉쳤다 흩어지게 할 줄 아는 요망한 조그만 여자아이일 뿐이었다. 우리가 복종을 할 이유는 하나도 없었다. 다른 아이들의 눈을 피해 아침 일찍 등교해서 그렇게 해주겠다는 쪽지를 그 친구의 책상 서랍에 넣어 두었다. 그게 내가 친구로서 해줄 수 있는 최소한의 도리이고 정의라는 생각이 들었다.

다음날이 되자 그 친구의 책상은 깨끗해졌고 대신 내 책상에 흰 우유 방울이 뚝뚝 떨어지고 있었다. 내가 교실에 들어섰을 때의 싸한 공기는 예전 그 친구가 들어올 때의 그 온도였다. 뭔가 이상했다. 내 쪽지를 받은 그 친구는 비밀스러운 그 종이를 가지고 그 아이에게 향했다고 한다. 태희가 이렇게 해주기로 했다며 타겟을 본인이 아닌 나로 바꿔 달라고 한 것이다. 부모님에게도 학교 선생님에게도 이야기해봤자 그저 애들 장난으로 여기던 시절이라 해결될 건 아무것도 없을 거라 판단했던 거다. 대신 나를 파렴치한 스파이 짓을 하는 공공의 적으로 만들게 된 것이다. 지금 생각하면 그 친구 입장에서 상황을 해결하기 위해 최선을 다

한 것이겠구나! 그렇게 하는 그 친구 마음도 얼마나 떨리고 불안했을까 싶지만 어린 날의 난 화가 나는 대신 아무 말도 하지 못하고 잔뜩 억울하기만 했다. 가장 힘들었던 건 도와달라던 그 친구의 변한 모습이었다. 가장 앞장서서 나에게 못되게 굴기 시작한 것이다. 쉬는 시간에 갑자기 내 책상으로 다가와 욕을 하기도 했고 쓰레기를 던지고 가기도 했으며 그 왕따 주동자가 시킨 행동들을 일등으로 수행하는 오른팔이 된 것이다. 특히나 그 아이는 아빠가 돌아가신 내 슬픔과 치료비로 가난해진 우리 집 사정을 이용해 나를 욕했다.

이후로 한참을 난 혼자 도시락을 먹어야 했고 과학실이나 체육 시간에도 같이 실험을 할 친구나 공 패스를 연습할 친구가 없어졌다. 그 날들의 모든 감정이 다 기억나지는 않는다. 어느 날은 괴로웠고 어느 날은 외로웠으며 어느 날은 학교에 가기 싫었다. 개근상이 당연한 엄마에겐 아무 말도 하지 못했다. 그 학교를 졸업했던 언니와 오빠에게는 더더욱 말하지 못했다. 오빠나 언니는 이런 일을 당한 적이 없겠지? 지금은 너무 바보 같은 생각인 걸 알지만, 그땐 솔직히 자존심도 상했다. 내가 누군데? 나 김태희인데? 내가 왕따를? 지금도 마찬가지지만 가해자만큼이나 피해자에게도 뭔가 이유가 있겠지라는 사회적 시선은 없어져야 한다.

그렇게 하루하루를 줄타기하듯 위태롭게 버티고 있다 보니 어느새 5학년이 끝나는 종업식이 다가왔다. 더는 그 아이들을 보지 않아도 되었다. 바보같이 당했다는 후회, 과연 끝일까 하는 두려움, 스스로에 대한 자책감 온갖 감정으로 씁쓸하고 우울한 표정으로 복도에서 빗자루질하고 있었다. 그 날은 내가 청소 당번이었다. 화려한 마지막이라도 장식하고 싶었던 걸까. 그 친구는 나에게 다가와 또다시 쓰레기를 던지며 입에서 나오는 말로 아직 딱지도 만들어지지 않은 내 마음을 칼로 찢고 또 베었다. 이제는 그 아이가 시킨 것인지 그 친구도 즐기고 있는지 구분이 되지 않았다.

어차피 끝이라는 생각에 용기가 난 것인지 더는 분노와 배신감을 참을 수 없는 상태가 된 것인지 모르겠다. 손에 들려져 있던 빗자루를 복도 끝까지 있는 힘껏 던지며 단전부터 끌어올린 목소리로 꽥 소리를 질렀다. 그동안의 설움이 폭발했다. 그 아이가 뭔데! 어차피 옆 동네에서 성질 고약한 아줌마 딸이고 직접 나서서는 아무것도 못 하는 멍청이이며 우리가 무서워할 필요도 없는데 너랑 난 왜 이렇게 당하고만 있는 거냐고. 우리 엄마도 못지않게 무서운 아줌마고 나는 너를 도와주려던 친구가 아니었느냐고. 그리고는 나도 속이라도 한번 시원하자 하는 생각에 생전 처음 해보는 욕설들을 배설하듯 쏟아내 버렸다. 한번 폭발한 화는 쉽게 가라앉지 않았고 그 친구의 놀란 표정과 얼어붙은 듯한 다리는 걸을 줄 모르는 사람처럼 더러워진 나무 복도에 박혀있었다.

그 후로 그 아이도 그 친구도 다시 볼 일은 없었다. 어려워진 집안 사정 덕분에 난 다른 동네로 이사를 하였기 때문이다. 지금도 그 아인 여전히 자기들만의 모임을 만들고 타인을 배제하며 괴롭히는 낙으로 살아갈까. 그 아이가 결혼을 해서 아이를 낳아 학교에서 학교 폭력의 피해자가 된다면 어떤 기분일까. 가해자 대부분이 그러하듯 그 아이는 기억 자체를 못 할지도 모르겠다. 장난이었다고, 어린 시절 실수일 뿐이라고. 그 아이가 어떻게 해서 그런 악마가 되었는지는 모르겠지만, 그 아이로 인해 나와 같은 상처 패인 빌런이 수없이 탄생했다는 것쯤은 알 수 있다.

혹시 모르겠다. 어느 날 갱년기 호르몬 같은 심경의 변화로 <더 글로리>의 주인공이 되고 싶을지도 말이다.

5. 벌은 죄를 지은 사람이 받아야지

그를 처음 만난 건 중학교 3학년 때였다. 비가 많이 오는 날이었고 조금은 늦어진 등교에 발걸음을 서두르고 있었다. 학생들이 한창 등교를 할 시간이 지나서인지 인적이 드문 한적한 골목에 들어섰을 땐 왠지 스산한 기분마저 들었다. 비가 오는 탓이었을까. 이럴 시간이 없었다. 교문에서 학생주임한테 쏟아지는 잔소리를 피하려면 속도를 내야 했다.

갑자기 어디선가에서 소리가 들려왔다. '학생! 어이, 학생! 여기 좀 봐. 이리로 좀 와봐, 학생.' 1층 문이 열린 한 건물에 아저씨 한 명이 서 있었다. 뭔가 다급해 보이는 아저씨는 도움이 필요한 듯했다. 어른이 부르는데 안갈 수도 없고 우선은 그쪽으로 가서 '저 지금 학교 가야 해서요.'라고 말해야지 하는 생각으로 방향을 틀었다. 그런데 가까이 갈수록 아저씨의 행동이 자세히 보이기 시작했고 그 행동은 조금 이상했다. 검붉은 자색 고구마를 비에 열심히 씻고 있었다. '굳이 이 날씨에 밖에서 고구마를 씻을 건 뭐지?'라는 생각이 들었지만 그건 아저씨 마음이니까. 아저씨 앞에까지 가서 둘의 사이가 1m 남짓 되었을 때 알게 되었다. 그건 고구마가 아니었다는 것을. 그리고 아저씨의 눈빛은 일반적인 사람보다 훨씬 동공이 크게 확장되어 있었고 호흡은 엄청 가쁜 상태라는 것까지 인지하고 나서야 상황을 파악할 수 있었다. 이전에 한 번도 본 적 없고 구체적인 이야기도 들어본 적 없는 것을 어느 누가 그게 무엇인지 단번에 알아챌 수 있겠는가.

일단 상황은 파악이 됐는데 몸이 움직이지를 않았다. 멍하니 뭘 어떻게 해야 할지 몰라 당황하는 나를 보며 아저씨가 웃었다. 금방이라도 터질 듯이 시뻘게진 내 얼굴 때문인지 벌벌 떠느라 떨어트린 신발 주머니 때문이었는지 모르겠지만 나의 반응이 꽤 만족스러웠던 모양이었다. 그때 갑자기 구역질이 나기 시작했다. 하지만 그것까지 티 내고 싶지는 않았다. 그에게 더 이상의 보람을 느끼게 해주고 싶지는 않았기 때문이다. 최대한 천천히 자연스럽게 방향을 다시 틀어 원래 학교로 가던 쪽으로 걸어갔다. 사실 그건 내 기억 속의 속도일 뿐이고 실제로는 어땠는지 모르겠다. 무중력 공간에 갇힌 사람의 움직임처럼 매우 부자연스럽게 느릿느릿해서 웃기려고 저러는 건가 싶었을지도 모르고 아니면 반대로 살인 현장에서 경찰에 쫓기는 살인범처럼 목숨 걸고 죽어라 뛰는 모습이었을지도 모른다. 그 이후로는 학교 교실까지 어떻게 왔는지 잘 기억이 나지 않는다. 지각은 아니었던 것 같다. 덕분인 건가?

별 거 아니야. 전에 어디서 우스갯소리로 얘기는 들어봤잖아. 나도 영화에서 본 것처럼 크게 웃어줄 걸 그랬나. 라며 아무 일도 아니라고 나를 위로하기에는 잎자루가 유독 길어 약한 바람에도 파르르 떠는 사시나무처럼 온몸이 떨리고 있었고 이상하게 사람의 눈을 잘 보지 못했다.

담임 선생님이 조회를 할 때도 9시가 되어 1교시가 시작했음에도 계속 고개를 푹 숙이고 있었다. 1교시는 국사였다. 넙데데한 얼굴에 목욕탕처럼 울리는 목소리로 친근한 말투와 그에 어울리는 머리카락이 반쯤은 날아간 인상 좋은 선생님이었다. 그런 선생님이 우스갯소리를 할수록 더 짜증만 났고 책은 기역, 니은일 뿐이었다. '저 선생님도 어쩌면 다른 데 가서 몰래 그런 짓 하는 거 아니야? 그 아저씨도 생긴 건 그냥 평범한 아저씨였잖아.' 어제까지만 해도 온전하게 깨끗하고 사람 좋은 국사 선생님은 아무런 근거도 없이 순식간에 변태 또라이가 되어버렸다.

1교시가 어떻게 지나갔는지 모르겠다. 2교시는 한문이었다. 카랑카랑한 목소리로 키는 작지만 매서운 분위기와 항상 칼같이 날이 선 와이셔츠에 넥타이를 꽉 매고 다니는 한문 선생님. 터무니없는 추측은 이번에도 계속되었다. '저 선생님은 항상 너무 완벽해지려고 해. 그만큼 스트레스를 받겠지? 그걸 어떻게 풀겠어? 그래 한문 선생님도 다른 학교 앞에서 저런 짓을 하고 왔을 거야. 그러면서 우리 앞에서는 깨끗한 척 착한 척!' 이제는 의심을 넘어 확신에 차게 되었다. 더는 구역질을 참을 수가 없었다. 몸을 앞으로 숙이고 자꾸 들썩거리는 내가 불안했는지 옆에 앉은 친구가 한문 선생님에게 '태희 이상해요. 아픈가 봐요.'라고 말했다. 칠판에 놓인 분필처럼 얼굴이 하얗게 질려버린 나를 보고는 선생님은 양호실에 가라고 하셨다. 잔뜩 구부렸던 용수철이 한 번에 최대 힘으로 튕겨 나가듯 교실을 뛰쳐나갔고 양호실이 아닌 화장실에 가서 결국은 아침부터 참고 참았던 구토를 하고야 말았다. 이제는 내가 아까 그 아저씨처럼 동공이 풀리고 입에서 침이 질질 나왔다. 서 있을 힘도 없이 다리가 심하게 후들거려서 계단 옆 손잡이를 겨우 붙잡고 교무실로 갔다. 누가 봐도 공부라는 걸 할 수 있는 상황이 아닌 나를 굳이 학교에 잡아둘 필요가 없다고 판단했는지 별다른 제재 없이 조퇴를 시켜주었다.

학교에서 집으로 돌아오는 걸어서 15분 정도 걸리는 거리를 1시간은 걸려서 온 것 같다. 비가 오든 말든 거리에 서서 우산을 팽개치고 두세 번은 더 토했다. 아무도 없는 집에 돌아와서 이불로 온몸을 감싸니 그제야 안심이 되었는지 참았는지도 몰랐던 울음이 터져버렸다. 내가 잘못한 건 아무것도 없는데 자꾸 쏟아지는 눈물을 막을 수가 없었다. 교복 소매로 감당이 안 돼서 아무렇게나 널브러져 있던 수건으로 코를 문질러 닦았는데도 진정이 되질 않았다. 왜 하필 그 시간에 거길 지나갔을까. 모르는 사람이 부르는데 왜 바보같이 예의를 지킨답시고 그 앞까지 굳이 다가갔을까. 세상에 모든 남자는 다 그런 걸까. 난 앞으로 연애는 물론이고 결혼도 못 하겠지? 누구에게라도 말하면 그 아저씨가 다시 찾아오진 않을까. 명찰에 적힌 내 이름도 봤겠지? 내가 학교에서 조퇴하길 기다렸다가 몰래 내 집까지 미행한 건 아닐까? 방향을 잃은 칼날은 자꾸 죄도 없는 나 자신을 향했고 걱정은 두려움을 넘어 망상으로까지 번져 버렸다.

　소위 말하는 바바리맨은 코미디 프로그램이나 영화에서 쓰이는 것처럼 그렇게 가벼운 웃음거리로 쓰일 수 있는 소재가 아니었다. 손가락질을 당해야 하는 건 그 사람인데 부끄러워야 할 건 그 아저씨인데 일상처럼 등교하던 혹은 출근을 하던 누군가는 괴롭고 두렵고 수치스러워야 했다. 가장 쓸데없고 잘못된 생각은 내 몸이 더럽혀졌다는 느낌이었다. 더러운 건 그런 짓을 행한 사람이지 당한 내가 아니다. 그걸 깨닫는 데는 한참의 시간이 걸렸다. 왠지 내가 죄를 지은 것처럼 아무에게도 털어놓지 못하고 비밀로 간직하는 것이 얼마나 바보 같은지 그 일을 입 밖으로 내뱉는 순간 어쩌다 재수 없게 우연히 겪은 기분 나쁜 일일 뿐이었다는 걸 알았다. 하지만 그 죄는 가볍게 여기지 말아야 한다.

*

　출퇴근 시간이 아니라 그런지 지하철은 한가하고 빈자리가 넉넉했다. 한낮에 누릴 수 있는 작은 사치였다. 온종일 스마트폰이나 컴퓨터 모니터에 눈을 시달리게 하다 보니 대중교통을 탈 때만이라도 바쁘게 고생한 눈을 쉬게 해주고 싶어 조용히 눈을 감았다. 잠깐 졸음이 온 건지 그냥 시간의 흐름에 의식을 맡긴 건지 여러 개의 정거장이 지났고 많은 사람이 앉았다 일어났다 하는 움직임이 느껴졌다. 어느 순간 일정한 소리가 지속해서 반복적으로 들려왔다. 여자 목소리 같은데 일반적인 대화나 통화 소리가 아니었다. 조금은 걱정되는 마음과 약간의 불쾌함으로 눈을 떴다.

그 목소리의 주인공은 바로 옆자리에 앉은 할아버지의 핸드폰에서 찾을 수 있었다. 맨살이 대부분인 화면에 이어폰을 연결한 것도 아닌 휴대폰 스피커로 떡하니 긴 지하철 의자의 정 가운데 앉아 동영상을 신명 나게 즐기고 있었다. 그 할아버지의 오른쪽에는 내가 그리고 왼쪽에는 어린 여대생이 앉아있었다. 우선 학생이 걱정되어 슬쩍 옆을 보니 벌떡 일어나서 자리를 옮기기엔 왠지 모든 시선과 화살이 자기에게 쏠릴 것 같고 가만히 앉아있기에는 역겨움과 거북한 더러움을 견디기 힘들어 보였다.

지금 생각해보면 그 학생의 진심은 내가 생각했던 것과는 전혀 다를 수도 있다. 어쩌면 귀에 꽂은 에어팟 때문에 옆에서 어떤 소리가 나는지 몰랐을 수도 있고 화장은 잘 먹었나 거울을 보느라 바빴을 수도 있다. 하지만 그때 중학교 시절 그날의 내가 떠올랐다. 그 날의 내 옆에는 도와줄 사람이 아무도 없었지만, 이 학생 옆에는 내가 있다. 정의를 구현하고 이 여린 영혼을 구해줄 사람은 나밖에 없다는 사명감으로 불타올랐다. 옆에서 풍겨오는 찌든 역겨움과 제정신인가 싶을 정도의 뻔뻔함에 폭발할 것만 같은 분노를 꾸역꾸역 누르고 이성적으로 공공의 힘을 빌리기로 했다. 난 더는 무서워 울고 도망치기만 하던 어린아이가 아니니까. 법을 지키는 사회인이자 현명한 판단을 할 수 있는 어른이니까.

지하철 내부를 둘러보았고 '도움이 필요하면 SOS'라는 문구와 함께 도드라지게 볼록 튀어나온 빨간 버튼을 찾았다. 더는 지체할 이유가 없었다. 바로 빨간 버튼 앞으로 뚜벅뚜벅 걸어갔고 한 번에 처단해버리겠다는 마음으로 버튼을 힘껏 눌렀다. 끼익. 갑자기 지하철이 멈춰섰다. 예상치 못한 브레이크에 준비 없이 서 있던 내가 작용 반작용의 힘으로 앞으로 튕겨 나갔다가 다시 제자리로 돌아왔다. 그리고 스피커에서 들리는 소리. '무슨 일이신가요?' 지하철 경비대나 사무실과 연결될 거라는 예상과는 달리 지하철을 운전하고 있는 기관사분과 직접 통화가 되었다. 급정거에 적지 않게 당황했지만, 그 파렴치한이 도망가지 못하게 작지만 간결하고 명확하게 마이크에 대고 상황을 설명했다. 하지만 이미 그때부터 사람들의 이목은 심하게 나에게로 쏠려 있었다. 설명을 들은 기관사는 해당 지하철 칸에 있던 사람들이 다 들릴 수 있을 만한 큰 소리로 '하…. 그걸로 버튼 누르신 거예요? 우선 조치는 취해드릴 거고요, 다음부터는 함부로 이 버튼 누르시면 안 됩니다.'라고 했다.

그걸로? 함부로? 당신들이 정한 긴급한 상황과 도움은 도대체 어떤 상황에 적용되는 건데요? 같은 칸에 타고 있던 사람들은 멀쩡하게 잘 가고 있는 지하철을 아무 이유 없이 세운 과대망상증 환자나 심신미약자를 보듯 약속 늦으면 책임질 거야? 라는 잔뜩 찌푸린 눈살로 혀를 차며 고개를 돌렸다. 이게 아닌데. 이번에도 난 피해자인데 내가 왜? 라는 억울한 마음에 눈으로 재빨리 아까 왼쪽에 앉았던 학생을 찾았다. 이미 그 학생은 이런 상황에 엮이기 싫다는 듯 내리는 문 앞에 서 있었고 정거장에 도착하자마자 순식간에 없어져 버렸다. 물론 내 착각일 수도 있다. 원래 그 학생은 내리려던 정거장에 내렸을 뿐일 수도 있다. 그런데 지하철의 까만 유리창으로 비추는 힘이 쭉 빠져 '학생도 봤잖아요. 같이 증

언 좀 해줘요.'라고 말하는 눈빛으로 학생의 뒷모습을 쳐다보고 있던 나를 왜 내리는 순간까지 뚫어져라 보고 있었던 거였을까.

너무나도 티가 났던 성희롱 범죄자 대소탕 작전은 실패로 돌아 갔고 그 할아버지는 유유히 다음 정거장에 내렸으며 경찰은 세 정거장이나 지난 뒤에야 덩그러니 나만 남아있는 칸에 들어섰다.

남자 대 여자, 여자 대 남자 편을 가르자는 게 아니다. 모든 남성을 잠재적 가해자라고 보는 것도 아니다. 동성끼리도 가해 자와 피해자가 될 수 있으며 여성도 남성에게 가해자가 될 수 있다. 사회생활 하다 보면 그럴 수도 있지 뭐. 직접적인 피해를 준 건 아니잖아. 혼자만 유별나게 그렇게까지 해 피곤하게. 이 런 게 싫다는 거다. 이런 게 안된다는 거다. 이런 게 더 큰 악 마를 만들고 우리 사회의 현재와 미래를 갉아먹는다는 거다. 오늘은 나와 상관없는 누군가가 당했을 수 있지만 언젠가는 그게 내 친구일 수도 가족일 수도 있다. 그리고 그 수위는 아무도 예상 할 수 없다. 의도치 않은 가해자가 되지 않기 위해 노력한다. 피 해자가 되지 않기 위해서도 노력한다. 몇 달 전부터 실제 상황에 서 극대의 효율성을 발휘할 수 있고 잔인한 정도의 역습에 초점 을 둔 크라브마가를 배우고 있다.

6. 빌런에겐 가족도 사치다

엄마와 같이 살지 않은 건 중학교 2학년 때부터였다. 같이 살지 않았다고 하니까 마치 선택권이란 게 있는 것처럼 들리지만 일방적으로 상황을 통보받은 거였다. 어차피 아빠가 돌아가신 이후로 엄마의 얼굴은 거의 볼 수 없었다. 수영 모임, 동창 모임 이유는 다양했지만 어쨌든 집 열쇠를 못 챙기고 나간 날에는 대문 앞에 쪼그려 앉아 독서실에 갔다가 늦게나 집에 돌아오는 나이 차이가 많이 나는 중학생 언니나 고등학생 오빠가 돌아올 때까지 기다려야 했다. 비가 오거나 너무 춥거나 배가 고파서 고개를 푹 숙이고 집을 지나가는 사람들 몰래 눈물을 흘리는 날도 있었다.

하지만 그런 나를 아무도 본 적은 없다. 그럴 때 누군가 지나가는 헛기침 소리가 나면 바로 일어나 잠깐 졸았다는 듯 빤히 보이는 거짓 하품으로 뒤를 돌아 대문을 바라보고 애꿎은 열쇠 구멍만 만지작거리곤 했으니까. 몇 번은 옆 공업사에서 일하는 아저씨들이 노을이 지도록 혼자 기다리는 날 보며 담 넘어서 문 열어 줄까 라는 제안을 하기도 했지만, 우리 집 담을 누가 넘게 하는 건 왠지 안될 일 같아 대답 없이 고개를 저었다.

엄마는 경기도에 가게를 차린다고 했다. 집이 멀어서 매일 왔다 갔다 할 수 없으니 가게 옆에서 살기로 했다고 했고 군대 간 오빠를 빼고 여섯 살 차이가 나는 언니와 내가 둘이 같이 살게 되었다. 그러니까 내가 중학교 2학년, 언니는 대학생이었다. 어릴 적부터 순둥이에 욕심도 없고 길쭉하면서 얼굴이 작은 서양인 체구를 닮은 언니는 아빠 유전자를 많이 갖고 태어났다. 얼굴은 동글동글하지만, 고집이나 자존심 세우는 거로는 둘째가라면 서러운 오빠와 내가 엄마의 유전자를 타고난 것과는 정반대였다. 그래서인지 몰라도 엄마는 죽어라 공부를 열심히 하는 것도 아니고 집 안에 비싼 파인애플이나 바나나를 동네 아이들에게 실컷 나누어 주고 울음도 많고 잠도 많았던 언니를 많이 혼냈다. 오빠는 장남이라서, 나는 막내라서 라는 이유로 요리조리 엄마의 감정 쓰레기통이 되지 않기 위해 피해 다닐 동안 언니는 맏딸이라는 이유로 어린 나이에 너무 큰 짐을 지우게 한 것 같다. 6년 동안 애지중지 아빠가 제일 예뻐하는 막내로 살다가 갑자기 맏딸이라는 달갑지 않은 이름표를 달게 되었으니 내가 예쁠 일도 없었겠다 싶다.

그래서인지 둘이 사는 데도 언니와 나는 그다지 마주칠 일도 없고 대화할 거리도 없었다. 대학교에 다니는 언니는 연애하기도 바빴고 사진 동아리에 가입해서 MT도 다니고 가끔은 아랫입술을 두 배로 크게 그린 화장을 하고는 나이트라는 데도 놀러 다녔다.

그리곤 주말에 제일 힘들지만, 돈을 많이 준다는 웨딩홀 아르바이트를 했다. 언니나 나나 서로 말은 안 했지만 언제 엄마의 발길이 끊길 수도 있다는 생각을 했던 것 같다. 가끔 와서 쥐여주는 엄마의 용돈을 꼬박꼬박 통장에 숨기듯이 꽁꽁 넣어놓고 매점에도 자주 가지 않았던 나도 그렇고 우리 둘 다 나이에 맞게 철없이 해맑지는 못했던 것 같다. 오빠도 합쳐서 셋 모두 말이다.

혹시라도 엄마 아빠랑 같이 살지 않는 티가 날까 봐 교복 블라우스의 목에 때가 끼지 않게 솔로 박박 문질러 빨았고 아직 학교 급식이 없었던 때라 아침마다 도시락도 싸야 했다. 나중에 들었는데 내 반찬이 맨날 김치랑 참치 통조림 그리고 조미김이라 같이 밥 먹기 싫었다는 아이도 있었다고 한다. 나도 모르게 집 반찬을 싸 온 친구 도시락통에 손이 많이 갔나 보다. 에휴 눈치도 없이. 가끔 언니가 마음먹고 요리를 해주던 몇몇 날을 빼면 내 도시락은 항상 별로였다. 가끔 아침을 못 먹어서 엄마가 싸줬다며 점심 도시락 말고도 구운 식빵 사이에 딸기잼과 계란 후라이를 은박지에 싸 오는 아이들을 보면 '와 세상에 진짜 저런 TV에 나올 것 같은 엄마가 존재한다고?' 의심이 들 정도로 부러웠다. 하지만 티는 내지 않았다. 티 내면 왠지 지는 기분이 들 것 같았기 때문이다. 이긴 적도 없으면서.

엄마가 하는 가게는 날이 갈수록 바빠졌고 쉬는 날 없이 일하느라 돈을 쓸 시간이 없을 정도였다고 한다. 엄마가 가끔 언니와 내가 사는 집에 올 때면 반갑기보다는 겁부터 났다. 청소 안 했다고 얼마나 혼이 날까 설거지가 밀려서 빨래를 쌓아두어서 또 얼마나 욕을 먹을까. 대학생인 언니도 엄마가 여전히 무서운 것 같 았다.

어느 날 갑자기 나타나 엄마와 가게를 차리기로 했다는 아저씨 와는 딱히 인사랄 것도 없었다. 엄마가 아저씨를 집으로 데려왔고 그 날부터 엄마와 같이 살았고 뭐 오늘부터 우린 가족이란다. 하 는 의례적인 인사도 없었다. 그래도 한 번쯤 정식으로 앞으로 우 리와 함께할 사람이다. 라는 인사 정도는 있었으면 좋지 않았을까 하는 생각이 든다. 왜 그때 굳이 경기도에 자리를 잡았냐고 나중 에 엄마한테 물어보니 아무리 아빠가 돌아가셨다고 하지만 10년 넘게 산 이 동네에서 아저씨와 자리 잡기가 불편했고 무엇보다 언니와 내가 아저씨와 함께 사는 게 불편할까 봐서였다고 했다. 생각해보면 엄마 나름의 배려였구나 싶지만 난 돌아가신 아빠 말 고 남은 엄마마저 없이 사는 것도 마음이 편한 적은 없었다.

성적이 잘 나와 자랑을 하고 싶었을 때도 수련회에 간다는 동 의서에 싸인을 받아야 할 때도 엄마와 아저씨 둘이 있는 가게에 갈 때면 항상 불편했다. 가게에서 새로 일하게 된 아주머니가 '어 머~ 딸인가보다. 아빠랑 아주 쏙 빼닮았네.' 하는 물색없는 말치 레를 하는 날엔 밥이 안 넘어가 먹는 둥 마는 둥 그냥 나왔다. 아 저씨에게 아빠라는 호칭을 하기엔 얼굴 몇 번 본 적도 없고 우리 아빠 멀쩡히 산소에 잘 누워계시는데 거짓말은 배신 같아서 내키 지 않았다. 오늘도 괜히 왔다 싶어 억지로 밥만 꾸역꾸역 먹고 엄 마랑 이야기를 나누는 것도 눈치가 보여 학교에서 그 멀리까지 버스를 한참 타고 가서는 '다음엔 오지 말아야지'라는 생각만 반

복했다. 이런 시골 버스는 삐걱삐걱 녹슬 만큼 녹슬었는데 오래돼
서 사고 같은 건 안 나나 하는 생각을 하며 말이다.

*

내가 처음 삐삐를 갖게 된 날 여러모로 기분이 이상했다. 고등
학교에 올라가면서 엄마한테 삐삐가 갖고 싶다고 했고 엄마는 입
학 선물로 사놓았으니 가게에 와서 가져가라고 했다. 신나서 가게
에 뛰어갔는데 한창 바쁠 시간에 겹쳐 인사만 후딱 하고 한쪽 구
석에서 혼자 상자도 뜯지 않은 새 삐삐상자를 열었다. 헉! 이게
뭐야…. 친구들이 다 쓰는 빨간색이나 파란색 납작한 삐삐가 아닌
회색 비스름한 우중충한 색깔에 화면 방향도 꼭대기에 달린 완전
구린 디자인이었다. '엄마 이게 뭐야~ 너무 아저씨 같잖아!!' 웬만
하면 투정 같은 건 안 하는 타입인데 하루 이틀 쓸 삐삐도 아니
고 너무 속상해 못마땅한 소리를 했다.

그때 아저씨가 무서운 속도로 나에게 달려오더니 팔을 툭 치면
서 안 그래도 큰 눈을 엄청나게 크게 뜨면서 '조용히 해! 사람들
이 듣잖아!!' 라고 굉장히 당황하며 한심하다는 말투로 나를 나무
랐다. 작게 속삭였다기엔 위아래로 회초리를 들듯 눈빛으로 온몸
을 때리는 것처럼 과하게 무서운 말투였다. 아니 내가 그렇게 잘
못한 건가? 어린아이처럼 떼를 쓴 것도 아니고 혼잣말보다 조금
큰 소리 정도였다. 삐삐 디자인이 이 정도로 구린데 그 정도 투정
은 할 수 있는 거 아닌가? 엄마는 내 말을 들었는지 아저씨의 말
은 들리지 않았는지 그냥 다 모른 척하고 싶은 것인지 아무 말도

아무 행동도 하지 않았다. 무슨 오해가 있었던 건지 너무 억울해서 가게가 끝나고 아저씨랑 얘기하려고 기다렸다. 하필 금요일이라 가게는 정시에 닫기도 힘든 상황이었고 경기도에서 우리 집까지 오는 버스가 많지 않아 난 결국 카운터 한쪽에서 앉아있기만 하다가 그냥 집으로 돌아 와버렸다.

이후로 엄마나 아저씨랑 그 일에 대해서 따로 얘기를 나눈 적은 없다. 사실은 그 누구와도 없다. 주변 친구들에게 집안 얘기는 별로 하고 싶지 않았고 언니와 오빠도 누가 누구의 마음을 위로해주고 기대기에는 각자가 버거웠다. 그건 지금도 마찬가지이다. 수십 년이 지나 유전학적인 아빠와 산 기간보다 아저씨와 지난 보낸 시간이 훨씬 길지만, 그리고 지금은 누군가를 아빠라고 부른다고 해서 배신감을 느낄 우리 아빠가 아니라는 것도 알지만 아저씨는 딱 거기까지이다. 엄마 옆에 있는 아저씨. 나의 아빠가 되고 싶은 마음 따위는 없고 딸이 되고 싶은 의지라고는 더더욱 없는, 적당한 거리가 편한 사이. 살다 보니 너무 가까워지지 않고 그런 사이가 더 좋은 관계도 있는 거더라.

지금 생각해보면 그 삐삐사건의 전말은 이랬지 싶다. 내가 말한 '아저씨 거 같아'라는 표현은 그야말로 중년에 배가 살짝 나오고 메리야스에 반바지 대신 트렁크 팬티를 입고 슬리퍼를 신고 머리가 살짝 벗겨질락 말락 한 조금은 촌스럽고 투박한 성인 남성을 예사롭게 부르는 말이었다. 그런 아저씨들이 사용하는 디자인 같아서 속상해. 나는 알록달록하고 산뜻한 색으로 된 애들이 제일 많이 쓰는 브랜드로 삐삐를 사고 싶었단 말이야. 라는 뜻이라는 거다. 하지만 아저씨가 느낀 아저씨는 본인이었나 보다. 멀쩡하고 행복하게 잘 살고 있는 부부에게 갑자기 나타나 많은 사람 앞에서 자신을 아저씨라 불러버리는 남의 딸 빌런. 그 날의 빌런은 좀 서러웠다. 나도 귀한 집 자식이고 돌아가시긴 했지만, 분명히 아빠가 있던 고운 막내딸이었는데 말이다.

우리 아빠랑 중학교 졸업식 날 중국집도 가고 취업해서 모은 돈으로 같이 해외여행도 가보고 결혼식에서 남들 하는 것처럼 손잡고 들어갈 수 있었다면, 말 그대로 얼마나 좋았을까. 이제는 믿지도 않는 신을 원망하지 않지만 이미 지나간 일에 아쉬움 따위는 불필요하다는 것도 알지만. 아빠가 살아있었으면 아빠의 여리고 고운 심성을 보고 자라 어쩌면 난 빌런이 되지 않았을지도 모른다.

7. 다락방 속 비밀

요즘은 나이에 비해 어려 보인다는 말을 종종 듣지만 내 얼굴이 10대 시절부터 쭉 이렇다는 건 어릴 때 워낙 나이 들어 보인다는 뜻이기도 하다. 중학교 때 그 일은 내 얼굴이 스무 살은 훨씬 넘어 보인다는 걸 방증하는 사건이기도 했다.

옆 옆 동네에 잘생긴 오빠들이 많이 다닌다는 학원이 있다는 말에 굳이 학원 차까지 타고 다니면서 그것도 우리 집은 너무 멀다고 옆 동네에서 내려주어 10분은 걸어야 집에 도착할 수 있는 보습학원에 다녔다. 동네에 걸어서 다닐 수 있는 학원이 널리고 널렸는데. 정작 학원에 가보니 잘생긴 오빠는 커녕 동갑내기 남자애들한테 코끼리 다리라고 놀림만 당했다. 코끼리 다리는 너무했다. 나이에 맞게 적당하게 통통하니 내 기준 귀여운 중학생이라고 해두겠다. 교복 치마를 입고 바로 가는 날이면 어김없이 코끼리가 되는 게 싫어서 그 날은 좀 늦더라도 집에 들러 청바지와 티셔츠로 갈아입고 학원을 갔다. 종아리 대신 더 통통한 허벅지 때문이었는지 그 날도 역시 덤보 신세를 면하지는 못했다. 평소처럼 학원을 마치고 봉고차는 옆 동네에 내려주었다. 집으로 터벅터벅 걸어가는 길이었는데 그 날따라 사람들이 좀 붐볐다. 태어나자마자 계속해서 살고 있는 동네가 대학가라서 익숙했지만 어째 분위기가 그다지 신나는 북적북적한 느낌은 아니었다.

집으로 향하는 골목으로 들어섰는데 갑자기 뒤에서 후다닥 소리가 들려왔다. 한두 명이 아니었다. 수십 명의 발소리가 무섭기도 했지만 뒤돌아서면 내가 가는 방향으로 뛰는 사람들의 속도 때문에 부딪혀 뒤로 넘어지게 될까 봐 두려웠다. 뭔지 몰라도 같이 뛰어야 할 것 같았다. 뒤에 뭔가 좋지 않은 게 쫓아오니까 도망치는 거겠지. 막연한 생각에 죽어라 뛰어봤지만 20초 안으로 100m를 들어온 적이 없는 내가 결국 그들보다 한참은 뒤에서 뛰게 되었다. 아주 짧은 시간 동안이었지만 내 온몸이 뒤로 확 잡아당겨져 벌러덩 넘어지는 게 슬로우 모션처럼 느껴졌다. 뒤에서 누군가 내 등에 멘 백팩 위에 달린 손잡이를 낚아챘고 앞으로 나아가는 나의 방향과 뒤로 당기는 누군가의 힘의 방향이 반대되면서 티셔츠에 목이 걸려 목젖을 얻어맞은 듯 켁 하며 순간 정신이 아찔했다.

군인이었다. 응? 전쟁이라도 난 건가? 자세히 보니 전경이었다. 데모를 막는 전투경찰 말이다. 내 뒤에서 시작해 버팔로 무리 떼처럼 돌격하던 대학생 무리는 데모하던 학생들이었고 그 뒤를 쫓는 건 전경들이었다. 상황은 파악했으나 왜 나를. '저 아닌데요,

저 진짜 아닌데요.' 바둥거리며 소리치는 내 말 따위는 처음부터 들을 생각이 없던 전경은 바닥에 넘어진 나를 그대로 질질 끌고 갔다. 역시 난 코끼리가 아니었다. 코끼리를 누가 한 손으로 그렇게 끌 수 있겠는가. "야! 다 너처럼 똑같이 말해. 누가 나 데모했어요. 이러고 이마에 써 붙이고 다니냐?"이라는 힘센 전경의 말도 일리는 있었다. 그런데 나 진짜 아닌데. 티셔츠가 바닥에 끌려 너덜거리고 신발 한쪽이 벗겨져 양말만 신은 채로 끌려가는데 이대로 가다간 진짜 무서운 곳에서 발가벗겨진 전기구이 닭처럼 철봉 같은 곳에 대롱대롱 매달려 물고문이라도 당할 것 같았다. 거기에 갔다 오면 침 흘리는 바보가 된다던데. 악다구니를 써서 필사적으로 발버둥을 쳤다.

"나 진짜 아니라고요. 저 중학생이에요. 학원 다녀오는 길이라서 집에 가는 중이었다고요!!"

중학생? 그제야 전경이 뒹굴어 다니는 나를 내려다보았다. 아니 얘도 거짓말을 하려면 고등학생 정도로 할 것이지 웬 중학생? 어이없다는 듯 바라보았는데 이제야 내 얼굴이 보였나 보다. 아까는 어두운 골목이었는데 한참을 끌려 나오다 보니 큰길이었고 밝은 곳에서 보니 이마에 여드름이 듬성듬성 나 있는 게 조금 이상하긴 했나 보다. 그 전경이 살짝 머뭇머뭇하는 순간 이때다 싶어 얼른 내 가방을 열어 보여주었다. 중학교 3학년 2학기 수학, 과학 문제집들을 바닥에 던지듯 내동댕이쳤고 필통에 담긴 샤프랑 4색 볼펜 그리고 형광펜이 떼구르르 바닥에 뒹굴어졌다. "야! 인마! 너 왜 이 시간에 그러고 다녀? 위험하니까 얼른 집에 가!" 내 잘못이라고요 아저씨? 이 시간이 학원 끝나는 9시였을 뿐이고 이러고 다니는 게 아니라 그냥 집에 가던 거였거든요. 바닥에 내동댕이쳐진 책들을 가방에 대충 욱여넣고는 다시 다른 전경들에게 잡힐까 봐 진짜 있는 힘껏 집으로 뛰었다.

집에는 하소연을 들어줄 가족이 아무도 없었고 목욕탕으로 가서 눈물 콧물 길바닥 구정물까지 뒤집어쓴 내 모습이 억울하고 처량하고 불쌍해서 그리고 무서운 곳에 끌려가지 않았다는 안도감이 들어 그제야 마음껏 소리 내 울 수 있었다. 아니 나이 들어 보이는 게 이렇게 힘든 일인 줄 누가 알았겠는가.

*

아까 말했듯 어릴 때부터 대학가에 살던 나는 수많은 데모를 겪어왔다. 그 시절 아파트보다 주택들이 훨씬 더 많았고 우리 집은 대문이 낮은 한옥 형태라서 웬만한 운동 신경을 가진 사람이라면 훌쩍 넘을 수 있는 정도의 높이였다. 데모하는 날이면 꼭 한두 명씩은 우리 집으로 숨어들어오곤 했다. 아직은 어렸던 오빠와 언니 그리고 내가 있어서 위험하다고 생각하셨는지 엄마와 아빠는 옥상을 통해 뒤로 넘어가라고 하셨다.

그런데 어느 날 피를 많이 흘리는 남학생이 거의 대문에서 떨어지다시피 담을 넘었고 유치원생이었던 어린 내가 봐도 더 도망치는 건 무리처럼 보였다. 뛰는 건 당연하고 걷는 것조차 힘들어 보이는 그 대학생을 아빠는 다락방으로 올려보냈다. 한옥의 부엌

위쪽을 천장으로 막아 만든 공간으로 옛날 앨범이나 오래된 잡동사니들을 보관하는 곳이었다. 다락방도 혹시 들여다볼까 싶어 지붕 가까이 제일 안쪽 경사진 곳에 눕히고는 다른 물건들로 그 대학생의 모습을 감춰놓았다. 아빠가 다락방에서 내려오기가 무섭게 대문으로 전경 무리가 한껏 흥분해서는 문이 부서질 듯 두드렸다. 여기 누구 들어왔냐고 들어오는 거 봤다고 어디 있냐고 대답할 틈도 주지 않고 소리를 질러댔다. 마당에 질질 끌린 듯한 핏자국은 우리를 더 얼어붙게 했고 전경들은 대답을 듣기도 전에 신발을 신은 채로 집안을 뒤지기 시작했다. 엄마 아빠는 우리는 집 안에 있어서 누가 들어오는지도 몰랐고 아마 저기 옥상을 통해서 뒷골목으로 넘어간 거 같다고 말했다. 겁이 났다. 그 피 흘리는 대학생 우리 다락에 있는데, 전경 아저씨들에게 말하자니 많이 아파 보이던 대학생 오빠가 불쌍하기도 하고 엄마 아빠가 거짓말을 한 게 들킬 판이었다. 그렇다고 말을 안 하자니 거짓말은 나쁜 거라고 배웠고 흔들리는 눈동자와 꼭 잡은 아빠 손에까지 전달되는 떨림이 전경 아저씨들에게 들킬 것만 같았다. 무슨 수라도 써야겠다. (아니야, 제발 가만히 있어. 그냥 숨만 쉬고 있자 태희야.)

갑자기 아빠 손을 뿌리치고 생뚱맞게 물구나무를 섰다. "이것 봐요. 아저씨 나 물구나무 잘 서죠? 물구나무서면 키가 더 빨리 큰대요. 우리 언니도 물구나무 많이 서서 오빠보다 키가 커요." 연년생이던 오빠 언니는 오빠가 한 살 많음에도 어릴 땐 언니 키가 더 컸다. 내복이 빼꼼히 내려와 배꼽이 보이고 발을 바들바들 떨며 절대 지키고 막아선 곳은 다름 아닌 다락방 문이었다. 그걸 본 우리 아빠 엄마는 얼마나 피가 마르셨을까. 딴에는 머리를 쓴다고 절대 다락방에는 못 들어가게 하려고 막아선 곳이 다락방 문이었던 거다. 전경 한 명이 나를 쳐다보았고 순식간에 다락방 문은 이목이 집중되어버렸다. 굳이 묻지도 않았는데 엄마한테 '나 오락실 안 갔다 왔어요.' '내가 케이크 안 먹었어요.'라는 것과 무엇이 다르단 말인가. 아빠 엄마의 얼굴이 핏기가 싹 가신 얼굴이 되었을 때 전경들은 자꾸 말을 거는 꼬마가 귀찮다는 듯 '야 옥상으로 올라가 봐' 하고 안방을 나가버렸다. 손 빠른 엄마가 부엌과 안방에 묻은 핏자국을 걸레로 얼른 닦아놓은 덕분이었다. 진짜 걸렸으면 <추격자> 슈퍼 아줌마보다 더한 빌런이 될 뻔했다.

사실 데모하는 대학생들을 그다지 좋아하지 않았다. 그들이 왜 데모를 하는지 정부가 무슨 짓을 하고 있는지 우리는 어떠한 방식으로 권리를 짓밟히고 있는지 알기에는 너무 어렸다. 그저 눈과 코가 쏙 빠질 듯한 화염병을 던져대는 대학생 언니 오빠들이 이해가 되지 않았고 데모가 있는 날에는 치약을 코 밑에 바르고 촛불을 켠 채 비비면 더 따가워지는 눈이 시려 촛불 앞에서 의도 없이 줄줄 흐르는 눈물을 수건으로 꾹꾹 누르고 있을 뿐이었다. 공부 잘하는 학교라더니 맨날 막걸리만 마시고 우리 집 대문 앞에서 알아듣지도 못하는 민주주의가 어쩌고저쩌고 엄청난 토론을 벌이느라 새벽까지 잠을 못 자게 하다가 대문 앞에는 거나한 토사물만 남겨놓고 가는 존재들일 뿐이었다. 나중에 어른이 된 내가 그 일을 겪기 전까진 말이다.

8. 촛불 그리고 다시 촛불

　서대문구에서 동대문구까지 버스로 등하교를 하려면 서울의 중심지인 광화문을 지나지 않고서는 어렵다. 그 날도 수업이 끝나고 여느 때처럼 버스를 탔고 집으로 가려는데 거의 초반부터 버스가 속도를 내지 못했다. 광화문 주변 즈음에서는 너무 많은 인파에 30분째 제자리걸음이었고 버스 기사님도 반쯤 포기한 듯 엔진을 꺼놓았다. 어차피 내가 국회의원이 되고 대통령이 되어서 이 나라 뿌리부터 싹 다 갈아치울 거 아니라면 굳이 나 하나 나선들 무엇이 바뀌겠느냐는 생각에 정치에는 일부러 관심을 두지 않던 전형적인 회피형 인간이었다.

　그런데 이번 시위는 조금 달랐다. 적어도 내가 사는 나라의 대통령이 탄핵이라는 걸 당한다는데 엄연히 투표권을 행사한 나도 그것이 정당한 것인가에 대해 알 필요는 있었다. 그랬다. 그 날 광화문은 당시 대통령 탄핵 반대를 위해 모인 사람들의 촛불 시위로 거리가 마비된 것이었다.

아무리 기다려봤자 집까지 걸어가는 게 빠를 듯했다. 다른 몇몇 승객들과 함께 어차피 멈춰있던 버스에서 정거장도 아닌 곳에 내렸다. 버스 기사님도 이러한 상황에서 정거장을 논하는 게 의미가 없다고 생각했는지 그냥 문을 열어주셨다.

버스 안에서 창문으로 멍하니 바라보는 것보다 직접 내려서 곁을 스쳐 가는 사람들의 분위기는 생각보다 살벌했다. 탄핵을 찬성하는 사람들과 반대하는 사람들이 공존하는 그곳에선 날 선 눈빛과 점점 격앙되어가고 있는 목소리가 금방이라도 눈앞에서 육탄전이 벌어질 것 같았다. 그 무거운 눈빛들을 외면하며 계속 집 방향으로 걸었다. 각자의 목소리를 내며 구호를 외치기도 했고 팻말을 들고 걷는 사람들도 있었다. 귀에 꽂고 있던 이어폰을 뺐다.

무엇이 이들을 여기까지 이끌어낸 것일까. 날은 깜깜하고 아직 꽃샘추위에 날씨도 쌀쌀한데. 뉴스에서 정치 이야기가 나오면 또 그 소리가 그 소리겠지 라는 생각에 별 뜻 없이 채널을 돌리며 무지하고 무책임하던 나도 고작 몇십 분을 걸었을 뿐인데 이건 절차고 뭐고 시작부터가 잘못됐다는 걸 알 수 있었다. 전국적인 국민의 투표로 직접 뽑은 대통령을 특정 정당의 의견만으로 권한을 정지시킨 것은 대다수 국민의 의견을 철저하게 무시하고 있음을 보여주는 것이었다. 이러한 불공정한 절차에 의한 탄핵은 마치 과거 군부의 쿠데타와 다를 것이 없어 보였다. 그저 빨리 집에 가고만 싶었던 발걸음이 천천히 멈추어지고 지나가던 모르는 사람이 무심코 건네준 촛불이 내 손에 쥐어져 있었다. 세상에. 배려심도 깊지. 흘러내리는 촛농에 손이 데일까 봐 종이컵까지 받쳐 주셨다.

집에 가는 방향과는 반대로 다시 광화문으로 걷기 시작했다. 딱히 목표지점이랄 것도 없었지만 사람들과 같이 걸었다. 나처럼 아무것도 아닌 대학생 한 명도 함께 걸을 수 있구나 불을 좀 더 환하게 켤 수 있는 거였구나. 솔직히 촛불 집회의 본질보다는 스스로 느끼는 뿌듯함, 분위기에 휩쓸린 감동 그 정도를 느꼈던 것 같다. 꽤 오랜 시간을 걷자 함께 걷던 사람들도 힘이 들었는지 근처 편의점에 물을 사러 들어갔다. 누가 냈는지도 모르지만 이미 내가 마실 생수도 계산이 되어있었고 감사하다는 인사로 생수병을 따며 편의점 밖으로 나왔다.

후다닥. 중학교 때 학원이 끝나고 걸어오던 골목 뒤에서 나던 소리와 비슷했다. 어릴 적 피를 흘리며 담을 넘어온 대학생 아저씨를 따라 들어온 발소리가 생각났다. 쿵쿵쿵쿵 무거운 군화 소리에 비해 빠른 움직임이 내는 스산한 바람 소리. 전경들이었다. 편의점에서 나온 그리고 우리를 기다리고 있던 한 집회 무리를 순식간에 에워쌌다. 어디서부터 따라온 것인지 언제부터 대기하고 있던 것인지도 모르게 정말 눈 한번 깜빡이는 사이에 우리는 포위되었다. 그 자리에서 온몸이 굳어 버렸다.

소주병으로 만든 화염병을 던진 것도 아니고 욕을 하거나 행패를 부린 것도 아닌데 닭장처럼 까만 그물망이 앞을 가린 헬맷 너머로 보이는 그들의 눈빛은 금방이라도 몽둥이로 내 머리를 터뜨려 정신을 잃게 할 것만 같았다. 실제 그들의 눈빛은 오히려 나보다 더 두려움과 혼란스러움에 괴로웠을지도 모른다. 어쩌면 나이도 나보다 어린 동생일지도 모르고 전경이 되기 전에는 데모를 열심히 하던 학생이었을지도 모른다.

하지만 당시 그런 생각 따위를 할 여유는 없었다. 또 내 가방을 잡고 질질 끌고 갈까 봐. 나도 피를 흘리며 어떤 집의 문을 두드려야 할까 봐 심장이 터져버릴 것만 같았다. 순간 정신이 퍼뜩 들었다. 난 그냥 집에 가고 있었는데 내 손에 왜 촛불이 들려 있는 거지. 대통령이고 탄핵이고 뭐고 난 무서운 데 끌려가기 싫은데. 촛불과 물병을 잠바 주머니에 넣었다. 촛불이 꺼졌는지 확인할 겨를도 없이 되는대로 주머니에 꾸겨 넣어버렸다. 마치 나는 처음부터 이곳에 없었다는 듯이. 아무것도 모르는 선량하고 바보 같은 시민일 뿐이라는 듯이.

전경들은 우리 무리를 특정하게 포위한 것이 아니었다. 계속 앞으로 전진하던 중 인파로 인해 잠시 멈추었는데 사람들에게 밀리면서 직선이 곡선의 형태가 되어 마치 우리를 에워싼 것처럼 느껴졌던 것이었다. 그 잠깐 사이를 못 참고 나도 민주주의를 온몸으로 실천하는 시민의식이 있는 사람이야 라는 우월감에 잠시 빠져있던 내가 화들짝 정신이 들어 촛불을 꺼버린 것이다. 함께 걷던 이들을 외면하고 선을 그어버린 것이다.

부끄러웠다. 의지와는 상관없이 오줌을 지려 축축해진 팬티 때문만은 아니었다. 일제강점기에 태어났으면 분명 맨 앞에서 태극기 휘두르다 총 맞아 죽을 거라고 했던 내 뻔뻔함이 창피했다. 집회에 참여하려고 일부러 이곳에 찾아온 것도 아니면서 같잖은 잘난 척을 하던 내가 수치스러웠다. 이런 나에게 촛농에 데일까 봐종이컵을 챙겨주고 목마를까 물을 사주셨던 분들에게 죄송했다. 주머니에 넣은 손으로 종이컵을 손톱자국이 나도록 꽉 쥐어 나의부끄러움마저 흔적없이 지울 수 있다면 찢어버리고 싶었다. 그대로 고개를 숙이고 방향을 바꾸어 혼자 걸었다. 떳떳하지 못한 비겁했던 나는 다시 집으로 도망쳤다.

*

12년이 지나 또 다른 대통령 탄핵이 소추되었다. 이번에는 탄핵 반대가 아닌 탄핵 찬성을 외치는 사람들이었다. 다시 광화문으로 촛불을 들고 모였다. 한겨울이라 상당히 추웠을 텐데 유모차를끌고 나온 젊은 부부도 있었고 유명한 뮤지컬 '레미제라블'의 'Do you hear the people sing?'을 부르는 뮤지컬 배우들과 다양한공인들이 함께 나와 집회를 지속해서 이어나갔다.

우리 가족도 모두 광화문 집회에 참여했다. 나만 빼고 말이다. 이제는 끌려갈 남산 지하고문실도 없고 폭력적인 시위가 아닌 만큼 폭력으로 맞대응할 분위기도 아니지만 그 날의 나를 다시 마주할 자신이 없었다. 그들과 같이 걸을 자격이 없는 것 같았다. 나는 다시 촛불을 들 수 있을까?

9. 신입 빌런

　'먼저 가보겠습니다.'라는 퇴근 인사는 사실 불필요하다고 생각한다. 퇴근 시간 이전에 조퇴하는 것도 아니고 내가 상사보다 굳이 먼저 퇴근하는 사실을 알려야 하는 의무가 있는 것도 아니지 않은가. 09시 출근 18시 퇴근. 분명 채용 공고에 나와 있는 근무시간은 이랬다. 계약서상에 명시된 약속을 지켰을 뿐이다. 심지어 아침에는 9시가 되기도 전에 출근해야 했다. 컴퓨터를 켜고 9시 전까지 출근 체크를 하려면 약간의 여유가 필요했기 때문이다. 컴퓨터가 버벅거리거나 에러가 나는 날에는 억울하게 지각처리가 되기도 하였다. 바로 옆자리에서 일하고 있는 동료들에게 인사말 한마디 없이 아무도 모르게 사라져 버리자는 뜻이 아니다. 하지만 서로 상호 동의 하에 약속한 18시가 넘었는데 퇴근할 때조차 굳이 주변의 눈치를 살펴 가며 항상 파트장 혹은 팀장에게 퇴근의 이유를 설명해야 하는 게 싫었다. 퇴근 시간 이후는 어차피 각자의 자유시간이기에 거짓말까지 하고 싶진 않았다. 그게 내가 스스로 무덤을 파고 사회생활을 모나게 만드는 지름길이었을지도 모르겠다.

'드럼 학원에 가는 요일입니다.', '인터넷 동호회 정모가 있습니다.'. 그럴 때마다 시간을 잡아먹는 괴물 선배들은 기분 나쁘게 나에게 애매한 멍을 남겼다. 차라리 대놓고 일은 다 하고 퇴근하는 거냐고 물었다면 오늘 이러이러한 to do 리스트가 있었고 기획서도 마무리하여 내일 보고 드릴 예정이라고 서로 깔끔하게 대답을 할 텐데 그들의 반응은 항상 이런 식이었다. '참 세상 좋아졌어. 나 때는 사장님 퇴근하시기 전엔 의자에서 엉덩이도 못 뗐는데 말이야. 돈 벌기 쉽다 쉬워. 태희 씨는 진짜 좋은 세상에서 태어났다. 캬 자유로운 영혼이네.' 당신은 아까 미팅 핑계로 회사 앞 커피숍에서 2시간이나 옆 팀 본부장 뒷담화 하며 놀고 왔잖아요. 그러다 또 담배 태우러 한 시간마다 과장이랑 들락날락한 거 다 봤거든요. 누가 쉽게 돈 버는 지 모르겠네.

*

같은 날 같은 파트에 입사한 동기가 있었다. 그 동기는 점심도 먹지 않고 책상 앞에 앉아있었다. 처음엔 너무 바빠서 그런가 보다 하며 안타까운 마음에 샌드위치나 김밥을 사다 주었다. 동기가 맡은 업무가 너무 많은가 해서 일부를 가져와 나눠서 해보기도 했는데, 소용이 없었다. 그냥 안 먹었다. 계속 책상 앞에 앉아만 있었다. 심지어는 그렇게 점심시간도 없이 일했는데 야근까지 했다. 점심 메뉴를 고르는 유일한 직장인의 낙을 즐기는 내가 뭔가 잘못하고 있는 사람처럼 느껴질 정도였다.

나도 여느 순간부터 팀원들과 같이 밥을 먹지 않기 시작했다. 회사 옆에 제휴를 맺은 헬스장을 무료로 이용할 수 있다는 사실을 알게 된 순간부터였다. 책상 앞에 앉아있는 시간이 많아지면서부터 급격하게 커지기 시작한 엉덩이와 아랫배의 지방들을 출렁거리며 러닝머신을 뛰었다. 가끔 샤워실에서 곧 결혼을 앞두고 다이어트를 시작한 옆 팀의 대리를 만나면 서로 민망한 눈웃음으로 인사를 대신했다. 그렇게 운동을 하고 편의점에서 간단한 식사를 한 후 사무실에 다시 들어갔다. 살은 절대 빠지지 않았지만 그래도 뭔가 열심히 살고 있다는 혼자만의 뿌듯함이 만족스러웠다.

팀장은 나의 점심시간이 매우 마음에 들지 않았나 보다. 끼니를 거르는 건 동기나 나나 매한가지인데 책상 앞에서 모니터를 뚫어져라 쳐다보며 사무실을 지키는 사람과 샤워 후 물기가 아직 덜 마른 머리에서 물방울을 떨어뜨리며 바나나를 먹는 나를 대놓고 차별하기 시작했다. 지금 생각해보면 그 동기의 모니터에 어떤 화면이 띄워져 있었는지는 아무도 몰랐다는 소름 돋는 사실. 결국, 난 인사 고과에서 밀려났다. 하지만 맹세코 내가 그 동기보다 일을 덜 하지 않았다. 진짜다. 훨씬 효율적으로 기획서를 만들고 트렌드를 파악해 업데이트하고 빠른 시간 안에 PPT를 잘 만드는 게 죄였다. 드럼 학원에 다니는 것도 죄였고 인터넷 동호회를 하는 것도 죄였다. 허리 디스크가 뿌드득뿌드득 터지는 소리가 들려도 손목에 터널 증후군이 와서 왼손이 너덜거리는 한이 있어도 무작정 책상 앞에 붙어 앉아 야근하지 않은 죄였다. 기독교도 아닌데 난 원죄인이 되어있었다. 실제로 내 허리 디스크와 왼손 손목은 평생 고칠 수 없는 질병이 되었다.

나중에 알게 된 사실이지만 매일같이 입맛이 없다던 동기는 아이가 있었다. 아직 결혼식을 하지 않았는데 이미 아빠가 된 상태였고 면접에서는 그러한 상황이 불리하게 작용할까 봐 아이가 있고 곧 결혼을 앞두었다는 사실을 말하지 않았다고 한다. 집안의 반대로 둘이 직접 결혼식을 준비해야 하는 상황에서 한 끼에 만원이 기본인 강남 물가와 밥값만 한 커피를 꼬박꼬박 챙겨 마시는 것도 부담이었을 거다. 겨우 식대 조금이 나오는 게 전부였지만 9시까지 책상 앞을 지키고 있다가 퇴근 버튼을 눌러야 나오는 야근비도 챙겨야 했을 거다. 돈 한 푼 아쉬운 예비 아빠 덕분에 난 월급 루팡에 칼퇴 빌런이 되어있었던 것이었다. 그 동기가 미울 것도 없지만 예쁠 것도 없는 게 사실이다. 솔직히 꼭 그 동기가 아니었더라도 내가 회사에서 이쁨받을 상은 아니었던 것 같기도 하다. 지금이야 휴가를 쓸 때 단순히 '개인 사유'라는 이유를 써도 인사팀에서 전화를 받지 않아도 되고 칼퇴근은 정당한 권리이며 점심은 누가 어디서 먹는지도 모르는 시대가 되었지만 20년 전 대기업은 사원 나부랭이에게 선택권 따위는 존재하지 않았다.

그렇게 난 회사에서도 또라이 신입 빌런이 되었다. 지금 태어났으면 아주 보통의 사람인 의도치 않게 시대를 앞서가는 사람이 되어버린 것이다.

10. 빌런도 먹고는 살아야지

나의 직업은 강사다. 초반에 강의를 다닐 땐 꽤 고생했었다. 인맥이 있는 것도 아니고 회사에 소속이 되어있었던 것도 아니고 나라는 사람을 알릴 수 있는 채널이라곤 입소문과 친구들 몇 명과 이웃을 맺은 개인 블로그 정도가 고작이었다. 그런 상황에서 어렵게 기업 강의가 잡히면 그 기업의 회사 연혁과 경영원칙, 최근 뉴스에 보도된 이슈와 인재상까지 싹 공부를 해갔다. 회사의 사업 분야마다 분위기마다 영화를 선별하고 강의 내용을 수정하였지만 변하지 않고 꼭 넣는 내용이 있었다.

'상생' 이었다. 강의를 듣는 수강자들은 대부분 회사의 중역 이상 되는 간부급이었다. 제품을 제조하는 생산직이나 파견직, 계약직과 함께 일하는 회사에서 은근히 존재하는 차별과 텃새를 익히 알고 있었다. 그래서 주제가 리더십이든 조직 커뮤니케이션이든 근본이 되어야 하는 건 서로를 북돋우며 다 같이 잘 되게 하는 마인드라고 생각했다. '여러분의 위치에서 상생과 공존으로 경영 패러다임을 개혁해야만 우리 회사가 나아가 사회가 변화하고 성공할 수 있습니다.' 강의 끝마무리에 이러한 문장으로 훈훈하게 마무리를 하면 즐겁고 부드러웠던 강의장 분위기가 싸하게 변하는 경우를 종종 느꼈다. 나 혼자 훈훈했던 것이다.

지금이야 ESG 라고 해서 대부분 대기업에서 환경과 사회, 경영 투명화 등을 외치고 있지만 10여 년 전에 강의할 때만 해도 강사 주제에 함부로 경영에 대해서 뭘 안다고 심지어 여자가 말이야 나이도 어린데 라는 말을 뒤에서 대놓고 들리게 말했다. 그럴 거면 앞에서 당당하게 말을 하시던가. 당연히 여기서 나를 다시 부를 일은 없겠지만 하면서도 여기서 성질대로 그런 말에 발끈하여 조목조목 따지고 들면 소문 빠른 이 시장에서 영원히 사장될 수 있다는 걸 알기에 집으로 오는 길에 운전대를 잡고 시원하게 혼자 욕을 퍼붓거나 너무 억울하면 소리를 지르기도 했다. 지금 내가 하는 것들이 의미가 있는 것이긴 할까 자문하며.

그러다 우연히 대학에서 기존에 없던 새로운 과목을 학생들에게 경험하게 해주고 싶다며 한 대학교의 학과장님께 직접 연락이 왔다. 겁은 났지만, 내가 하는 말들을 스펀지처럼 흡수하는 학생들에게 나의 경험과 감정을 공유하고 그들의 삶도 함께 나누면 새로운 활력소가 될 것 같았다. 그렇게 좋은 기회로 매주 학교에 가서 학생들을 직접 만나 강의를 했다. 주제는 다양하게 잡았다. 청춘에서 빠질 수 없는 연애 사업, 취업 걱정, 나라는 존재 자체에 대한 의문, 교우관계와 사회성, 나 빼고 다 행복해 보이는 사람들 등등. 강의하는 수단으로 영화만으로 소통하지 않고 영화 음악, 미술, 역사, 도서, 심리학 등 다양한 소재로 다가갔다.

스승의 날에 수줍게 내미는 편지와 가끔 메일로 상담 신청을 해오는 학생들, 음악을 전공하는 친구가 내 강의 덕분에 영화 음악 쪽으로 공부를 해보고 싶다는 내용, 혹은 내 강의를 들으며 학생들을 가르치는 교수가 되고 싶다는 생각을 처음 하게 되었다는 마음. 내가 전달해주는 내용보다 내가 그들로부터 생생하게 전달받는 에너지가 더 큰 것 같아 감사하고 보람되었다. 물론 모든 학생이 그랬던 것은 아니다. 1시간 내내 속눈썹을 붙이느라 여념이 없는 학생, 맨 앞줄에서 대놓고 이어폰을 꽂고 엎드려 있는 학생, 출석을 다 했는데 왜 F가 나오냐 따지는 학생 (출석 점수는 20% 반영일 뿐 과제는 한 번도 제출하지 않은 걸 알고 묻는 것인지 궁금했다) 등등 가끔은 이 학생들을 어떻게 대하는 게 맞는 것인가에 대해 고민을 하던 때도 있었다. 물론 어쩔 수 없이 졸업하기 위해 들어야 하는 과목 수를 채우기 위한 시간에 온전한 마음까지 내어주길 바라는 건 아니다. 나 역시 학부생 때 그렇게 열과 성을 다해 수업을 들은 적은 없는 것 같다. 지금 생각하면 그게 얼마나 좋은 기회였는지도 모르고.

99개의 잘 쌓아진 벽돌보다 1개의 비뚤어진 벽돌 때문에 성벽을 무너트릴 필요는 없다는 걸 깨달았지만 아직도 수업시간에 나도 모르는 사이 실수를 저지르지는 않았는지 누군가에게 상처가 될 만한 행동은 없었는지 끊임없이 되돌아본다. 나도 사람인지라 완벽할 수는 없다는 생각과 다음에 같은 실수를 하지 말아야 한다는 말로 다시 일어나기도 했다.

회사에서 강의할 때도 많은 것들을 변화시켰다. 강의하는 회사 분위기가 딱딱하다고 해서 나도 같이 경직될 필요는 없었다. 나만의 스타일로 나의 분위기로 강의장을 끌어오는 것이 능력이었다. 리더는 이렇게 해야 해 아니면 실패야 하는 흑백논리보다는 자신은 어떠한 리더인가 스스로 판단하게 하고 좋은 리더, 나쁜 리더보다는 이러한 점을 수정하고 보완하면 자신만의 강점을 살린 리더가 될 수 있다고 격려한다. 회사 내 문제를 해결하는 미팅에서 쓰이는 딱딱하고 직설적인 단어보다는 우회적이지만 더 멀리 넓게 볼 수 있는 영화나 드라마 속 다른 사례들을 통해 생각의 폭을 넓히고자 한다. 더 많은 공부와 경험으로 더 많은 사람에게 더 좋은 자신과 세상을 만들어 나가고자 하는 도움이 되고자 하는 신념을 가지고 계속 나아갈 생각이다.

*

그런데 정말 가끔 여자 강사인데 왜 바지 정장을 입고 왔는지 이름이 김태희인데 마스크 좀 벗어보라던지(코로나 시기에 어렵게 약속된 오프라인 강의였다) 하는 개념 없는 말들은 하지 말자. 빌런은 더 참지 않기로 했으니까 말이다.

11. 눈에는 눈, 이에는 이

강의 이야기가 나와서 말인데, 아직도 어려운, 정확히 말하면 하고 싶지 않은 강의가 있다. 대기업에도 다녀보고 공공기관도 있어 봤는데 나중에는 결국 돌고 돌아 하고 싶은 거 하게 되어있더라. 제일 좋아하면서도 잘할 수 있는 게 무엇일까 생각하다가 어릴 때부터 꿈꿔왔던 영화가 빠질 수 없었고, 대단한 의미에서는 아니지만, 마음에 울림을 주고 다시 일어날 용기를 주는 사람으로 쓰이고 싶었다. 그래서 세상에 없던 영화 인문학이라는 이름을 만들어 강의하며 다닌다.

기업에서 도서관에서 학교에서 다양한 사람들과 경험이 있는 사람들을 대상으로 영화를 선정하고 그것을 단순한 지식이나 영화니까 그렇지라는 말 대신 그러면 나는, 그래서 나는, 하지만 나는 이라는 질문으로 사람들과 이야기를 나눈다. 서울에서 태어나 기껏해야 이천 쌀밥을 먹으러 가거나 양평에 두물머리를 구경하러 다녀본 것 빼고는 명절 대이동에도 참여해본 적이 없던 내가 전국각지를 심지어 바다 건너 제주도까지 다니고 있다. 처음 들어보는 회사, 처음 가보는 지역, 처음 만나는 사람들과의 하루하루다.

그런데 아무리 시간이 지나도 익숙해지지 않을 것 같은 곳이 있다. 교정시설이다. 쉽게 말해 감옥. 다양한 지역의 교도 소장님들이 직접 메일을 보낸다. '시네마 테라피'라는 타이틀로 활동을 하던데 우리 구치소에 와서 강의를 해주었으면 한다는 요청 메일들이었다. 처음 그러한 메일을 받고는 많이 놀랐다. 한번 가본 적도 없고 생각해본 적도 없는 강의장이었기 때문이다. 목사님이나 수녀님 혹은 스님들처럼 일반 사람들과는 달리 대단한 정신 수양을 하고 두려움이나 겁 따위에 속박되지 않으며 누구든 사랑할 마음이 준비된 분들만 갈 수 있는 곳이라 생각해왔다.

내가? 종교도 없는 내가? 영화를 좋아해서 그걸로 먹고 사는 것뿐인 내가? 온종일 고민을 하고 잠을 자려고 누워서도 밥을 먹으려고 식탁에 앉아서도 생각을 했다. 나는 그곳에 갈만한 깜냥이 되는 사람인가? 자신이 없었다. 결국, 거짓말을 했다. 요청하신 날 이미 약속된 강의가 있어서 못가겠다고 아쉽지만, 다음을 기약하겠다고. 이것으로 고민은 끝난 줄 알았다. 그런데 이러한 메일이 두 번 세 번 쌓이다 보니 그냥 거짓말로 상황만 모면하려고 하면 안 되겠구나 싶었다. 좀 더 솔직하게 나를 마주했다. 나는 왜 그곳에 가기를 꺼리고 있는지 곰곰이 생각해보았다.

전통적인 감옥의 기능은 구금, 쉽게 말해 밖에 나다니며 더는 범죄를 저지르지 못하게 막는 것이 제1의 목적이었다. 그러나 죄인의 자유를 빼앗는 형벌로써, 죄인을 수감하거나, 추방하는 등 자유를 빼앗는 형벌의 일종의 개념이 확립되면서 자유를 박탈하고 구금하는 자체가 형벌이 되어 형벌 집행의 기능도 갖게 되었다. '벌 받는 놈에게 잘해줄 필요가 없다'라는 것이 과거부터 계속 인류 대부분이 가진 유구한 생각이기에, 고대부터 근대까지의 감옥 및 교도소는 열악하고 비위생적이었다. 그러나 높은 재범률과 교도소의 과밀 수용으로 인해 교정과 교화의 필요성이 부각되고, 인권의식이 성장하면서 전 세계적으로 최소한 사람답게 혹은 일반 사회와 거의 차이가 없을 정도로 좋은 환경을 교도소에 구현하는 국가들도 늘어나고 있다.

내가 생각하는 감옥의 존재 이유는 죄를 저지르지 않은 사람들이 안전하도록 보호하기 위해 죄를 지은 사람들을 사회와 격리해 놓기 위함이다. 다양한 범죄로 그들은 그곳에 수감되었을 것이다. 사기를 쳐서 다른 사람의 돈을 갈취했을 수도 있고 성폭행이나 몰래 카메라 등을 이용해 범죄를 저지른 성범죄자들도 있을 수 있다. 조직폭력배나 사람을 죽인 살인범으로 복역하는 이들도 있을 것이다. 나는 그들을 위해 시간과 마음을 내어주고 싶지 않은 것이었다. 사람들에게 마음의 울림을 주고 다시 일어날 용기를 주는 사람이 되고 싶은데 이 사람들에게는 마음의 울림을 주고 싶지 않았다. 다시 일어날 용기를 주면 그 용기로 또 사기를 치거나 성폭력을 저지르거나 살인을 할 것 같았다. 벌을 지은 사람은 그만한 대가를 치르게 하는 게 바르다고 생각한다.

2023년 기준 대한민국의 재소자 1인당 연간 교도소 수용 비용은 인건비, 급식, 의료, 수도, 전기 비용을 모두 합하여 연간 3천100만 원 정도이다. 결코, 적은 돈이 아니다. 내가 열심히 일해서 내는 세금이 그런 곳에 쓰인다 생각하면 피가 거꾸로 솟는다. 사람이 저질러서는 안 될 행위를 하면 권리를 박탈시키는 게 맞다고 생각한다. 만약 사기로 전 재산을 잃은 부모가 자살했다고 치자. 그 자식은 빚을 갚고 동생들을 먹여 살리기 위해 열심히 일한다. 그리고 그 돈의 일부는 내 부모를 죽게 만든 내 부모에게 사기를 친 범죄자가 먹고 자고 숨 쉬는 데 쓰인다. 이게 맞는 걸까? 막상 당신의 자식이 감옥에 들어갈 수도 있는데 혹은 당신이 그렇게 될 수도 있는데 한순간의 죄로 쉽사리 사람을 단정 지어 날이 선 편견으로 갈기갈기 난도질 할 수 있느냐고 한다면 난 그러지 않으려고 죄를 안 짓고 산다고 대답할 것이다. 그러지 않으려고 죄를 짓는 자식으로 키우지 않을 거다.

　　그때부터 강의 요청을 보내는 교도관장분들에게 솔직하게 내 생각을 전달하기 시작했다. '나는 그들에게 마음의 치유를 하는 데 도움이 되고 싶지 않습니다. 그들은 벌을 받으러 그곳에 간 것이고 치유는 피해자들을 위한 존재하는 단어라고 생각합니다. 제 그릇이 이것밖에 되지 않아 실망스럽다면 어쩔 수 없습니다. 저도 일종의 피해자이기 때문입니다. 강의 제안은 정중히 거절하겠습니다.' 그렇게 답장을 보내면 훨씬 마음이 가볍다. 그분들도 익숙한 듯 알았다는 답장을 바로 보내곤 한다.

한번은 이런 생각 때문에 처음 보는 사람에게 된통 욕을 먹은 적이 있다. 영화 모임이었다. 영화를 보고 평론을 하는 모임이었고 의도한 건 아니었고 우연히 내가 참여했을 때 지정 영화는 <시카리오: 암살자의 도시>였다. 법 밖에 있는 정의를 집행하는 사람들의 이야기였다. 조두순 사건이 떠오르는 장면이 있었다. 암살자가 암살자로 살 수밖에 없었던 이유. 조두순의 출소가 가까워지고 있는 시점이라서 연일 뉴스에 보도되며 이슈가 되고 있는 시기였다. 여아 강간상해. 그가 저지른 이전의 범행들 미성년 시절 절도로 시작해 강간치상, 동거녀 폭행, 협박 및 갈취 등으로 모자라 만 8세 여아를 성폭행하였다. 이로 인해 성기와 항문 기능의 80%를 상실해 인공항문을 만들어야 하는 영구 장애를 입었다. 검사는 조두순의 죄질이 무겁다며 무기징역을 구형했으나, 1심 법원은 가해자의 나이가 많고 술에 취해 심신미약이었다는 이유로 12년 형을 선고했다. 조두순은 1심 형량이 무겁다며 항소와 상고를 하였으나 최종적으로 징역 12년형을 선고받았다. 심신미약. 나도 누구 하나 죽일 거면 나이 좀 먹고 소주 대여섯 병은 마시면 감형될 수 있겠다. 참 정당한 세상이네.

이 사건 이후 아동범죄 등에 한해 특별법을 통해 음주와 약물에 의한 심신미약이 의무 감경 사유에서 폐지되었고, 2018년에 일반 범죄도 심신미약이 의무 감경 사유에서 '감경할 수 있다'로 개정되었다. 내 글의 마무리는 사형제도의 부활이었다. 교화되지 않고 고쳐 쓸 수 없는 사람도 있는 거다. 알고 있다. 사형제도의 위험성과 이런저런 인권문제로 사형제도는 부활하지 않을 것이라는 걸. 그래서 내 글에서라도 내 희망을 바람을 밝혔을 뿐이다.

모임은 긴 테이블이 놓인 스터디 룸이었는데 20여 명 정도가 앉아있었고 기다란 부분 말고 좁은 부분의 테이블에 앉은 나는 반대편 좁은 부분에 앉아있는 한 사람과 마주 보고 있었다. 그 사람은 내 글의 발표를 마치자마자 나에게 물었다. 감옥에 가본 적이 있느냐고. 혹은 아는 사람이 감옥에 간 적이 있느냐고. 없다고 답했다. 충분히 공격적이라고 느낄만한 말투와 태도에 나도 바로 되물었다. 성폭행을 당해 본 적 있느냐고. 혹은 가족이 피해자가 된 적이 있느냐고. 그 사람은 당장 화부터 냈다. 그런 말이 아니지 않냐며 너무 무식하고 멍청해서 나와는 더 대화를 나눌 수가 없다고 했다. 주변 사람들은 눈치만 보고 있었고 모임의 주선자는 그를 말렸다.

황당했다. '감옥에 간 적이 있느냐'와 '성폭행을 당해 본 적이 있느냐'가 그렇게 차이나는 수준의 대화라고는 느끼지 못하겠는데. 어딜 가나 이상한 인간은 꼭 있기 마련인데 왜 하필 내가 항상 그 그물망에 걸리는 거냐고. 아니면 내가 이상한 사람이라서 그런 사람들이 꼬이는 건가.

나에게 감옥에 가본 적이 있냐고 물었던 그 사람의 직업은 교정직 공무원이었다. 첫 모임부터 호된 신고식을 치른 나를 위로하려고 함께 뒤풀이에 간 다른 사람들이 말해주었다. 감옥수들과 가깝게 지내며 그들의 인권을 위해 노력하는 사람이라고 했다. 순간

당황한 것은 사실이다. 아, 직업에 따라 경험에 따라 생각에 따라 나의 글과 생각이 불편하게 느껴질 수도 있겠구나. 그렇다고 내 생각을 바꾸거나 글을 고칠 생각은 없다. 나도 나만의 경험과 신념이라는 게 있는 거니까. 마음이 싱숭생숭했다. 누군가를 의식하고 글을 쓰고 싶진 않았지만, 누군가에게 상처가 되는 글을 쓰고 싶은 의도도 없었다. 두 번째 모임에 나갔을 때 그는 나오지 않았고, 세 번째 모임부터는 내가 나가지 않았다. 지금도 눈에는 눈, 이에는 이라는 생각은 변함이 없다. <비질란테>, <모범택시>를 보며 희열을 느낀다. 하지만 나와 다른 사람의 생각을 받아들임에 있어 한걸음 뒤로 물러서 바라볼 필요는 느끼게 되었다.

빌런도 다른 사람에게 일부러 생채기를 내고 싶은 마음까진 없다.

12. 역시 빌런과 경찰은 친구가 될 수 없나

엄마 가게 유리창 한쪽이 날카롭게 부서져 있었다. 금고는 쇠막대기 같은 걸로 뜯은 건지 모양이 제멋대로 휘어져 마구잡이로 점토를 빚은 듯이 이상한 모양을 하고 있었다. 도둑이 들은 것이다. 가게를 마감하고 현금을 정리하였기 때문에 금고에 남아있는 현찰은 얼마 되지 않았고 그 외에 가게에 딱히 비싼 물건을 놓을 이유가 없으므로 다행히 크게 없어진 건 없었다. 문제는 가게랑 이어져 있던 안채로 연결되는 문도 반쯤 뜯겨 있었는데 그 안에서 엄마가 주무시기 때문에 만약 엄마가 도둑 혹은 도둑들이 들어왔을 당시 방에 계셨다면 단순 절도가 아닌 또 다른 범죄로 이어졌을 가능성이 컸다는 것이다. 어쩌면 아직도 그 도둑은 집안 어딘가에 숨어 있을지도 모를 일이었다.

112에 신고를 했다. 책에서만 보던 번호를 눌러 신고를 하는 것조차 떨렸다. 잠시 후 순찰차를 탄 경찰들이 왔다. 엄마가 상황을 설명하였고 지문이나 선명한 발자국, 문을 뜯으려고 한 흔적들을 보여주었다. 그런데 어째 두 명의 경찰 모두 표정이 뜨뜻미지근했다. 일부러 금고를 만지지 않고 지문 보호를 위해 그대로 두었는데 어차피 이런 거 지문 검식해봤자 한두 명 지문 나오는 게 아니라 소용도 없을뿐더러 없어진 것도 거의 없는데 그렇게까지 할 필요가 있겠냐는 거다. 깨진 유리창 정도야 갈아 끼우면 그만이고 문은 고치면 된다는 식이었다. 그럼, 사람이 죽거나 큰돈을 도둑맞은 다음에야 뒷수습하겠다는 건가? '도둑은 우리 가게에 대해서 잘 아는 사람이고 분명히 손님으로든 어떤 형태로든 가게에 왔었고 우리 가족 얼굴을 아는 사람인데 위험할 수도 있는 거 아니냐.'라는 말에 그럼 지금 뭘 어떻게 해달라는 거냐 지금 해 줄 수 있는 건 없다. 하고는 15분 걸려 도착한 길을 5분 만에 돌아가 버렸다. 엄마 성격에 그냥 순순히 그 경찰들에게 아무 말을 안 하고 돌려보내는 게 이상했다.

경찰들이 돌아가고 나서 엄마는 저 사람들 아무런 조사도 하지 않을 거라고 했다. 이전에 우리 가게에 왔던 사람들이라면서 가게에서 식사하고는 우리 여기 옆 파출소 경찰들인데 하면서 돈을 안 내고 가겠다는 식으로 나왔던 것이다. 엄마는 나라 위해서 고생하시는 거 잘 알고 있다. 그리고는 "계산은 카드로 하시겠어요, 현금으로 하시겠어요?"라고 물었다고 한다. 그때 경찰들은 얼굴이 붉으락푸르락 시뻘게져서는 이러는 거 아니라고 우리가 뭐 돈이 없어서 그러는 거냐고 오히려 적반하장으로 한창 식사 시간에 붐비는 식당 카운터에서 엄마가 무슨 죄를 지은 것처럼 그 경찰들이 소리를 질렀다고 한다. 그리고 나서 두 번째 가게에 온 게 마침 도둑이 든 날이었던 거다. 어차피 말해봤자 입만 아플 거라는 걸 엄마는 알았기에 그 사람들이 왔을 때 기대하거나 따지거나 할 생각조차 없었던 것이다.

우리는 비싼 보안업체를 불러 카메라를 달고 잠금장치도 몇 겹으로 설치하여 힘으로만 열 수 없도록 바꿔 놓았다. 다행히 그 도둑이 다시 돌아오진 않았지만, 엄마는 한동안 야구 방망이를 침대 바로 옆에 두고 주무셨다.

*

이거 너무하다. 이상하다 싶어서 몇 번인가 세어본 것만 13번이었다. 가족이 차를 타고 공연을 보러 가는 상황이었는데 도심 한복판에서 경찰이 길을 막아섰다. 빨간불이 파란불로 13번이나 바뀌었는데 어쩐 일인지 경찰은 우리 쪽 두세 라인만 보내주지 않았다. 아니 정확히는 13번 이상이다. 내가 세어보기 전에 바뀐 신호등이 한 두 번이 아니었으므로. 무슨 일인지 설명하거나 안내 표지판 같은 것도 없었다. 마라톤 대회나 무슨 국제 행사 이런 거라면 사전에 고지가 되었을 거고 몇 시부터 몇 시까지 통제한다는 표지판이라도 있을 텐데 그냥 무턱대고 막고만 서 있으니 더는 답답함을 참을 수가 없었다. 가족들은 모두 말렸지만, 날도 더워죽겠는데 그리고 그 공연은 늦으면 중간에 들여 보내주는 공연도 아니라서 1부 자체를 아예 놓쳐야 하는데 그러기엔 너무 아쉽고 억울했다.

처음 계획은 이러했다. 차에서 조용히 내려 경찰에게 다가가 우아한 말투로 '수고가 많으십니다. 실례지만 무슨 연유로 저쪽에 있는 차선들만 계속해서 지나가고 이쪽에 있는 차선들만 통제하고 계신지 이유를 여쭤봐도 될까요, 경찰관 선생님?' 분명 몇 번이나 속으로 다짐하고 또 다짐하고 연습까지 하면서 차에서 내렸다. 하지만 내리자마자 더운 열기에 참아왔던 뛰는 심장도 같이 확 열이 오르면서 그야말로 폭발을 해버렸다. '저! 기! 요! 아니 이게 지금 한 두 번도 아니고 30분이 넘게 이러고 있는데 이유라도 알려주던가 이쪽저쪽 차선 돌아가면서 보내든가 해야지 지금 이게 뭐 하는 거예요?!!!' 공연보러 간다고 곱게 차려입은 원피스와 화장, 한껏 부풀어 올린 머리에 뾰족한 구두와는 전혀 어울리지 않는 목소리 톤과 표정이었다.

그런 나를 마주한 건 지난주에 경찰이 되었다고 해도 이상할 것 없어 보이는 누가 봐도 갓 들어온 신입 경찰이었다. 처음엔 예상치 못한 사자머리의 용솟음에 살짝 당황하더니 기세에 밀리면 안 되겠다 싶었는지 "아 여기도 다 사정이 있으니까 들어가서 기다리세요! 어디서 이렇게 소리를 질러요? 나도 시켜서 하는 건데!"라는 말도 안 되는 소리를 했다. 막고 있는지 이유라도 설명해주던가 왜 저쪽 차선만 보내는지 타당한 전후 사정이라도 말해주든가 해야지. 무조건 기다리라니. 시켜서 하는 거라니. 얌전히 돌아가서 기다리라는 말에 지지 않고 목에 핏대를 세웠다. 나도 잘했다고 할 수는 없지만 수십 대의 차가 영문도 모른 채 반 시간 넘게 대기만 하는데 아무리 신입 경찰이라도 해도 제대로 된 대처도 없이 귀찮아하며 짜증만 내면 안되는 거였다.

그런데 예상치 못한 지원군 등장! 갑자기 옆 차선 우리 뒤에 있던 차에서 연세가 좀 있으신 아저씨가 내리셨다. 와 그분은 뭐 원샷 원킬이었다. 내리자마자 쌍욕을 그냥 속사포로 퍼부으시는데 심지어 내가 당황스러울 정도였다. 뭐 방법은 그리 점잖지 못했지만, 그분의 말씀도 내가 앞서 말한 내용과 크게 다르지 않았다. '이 아가씨가 한 말 틀린 거 하나 없구만. 뭔 이유도 말 안해주고 계속 기다리라는 거야?!' 순간 천군만마를 얻은 듯 어깨가 빵빵해졌다. 그제야 상황은 좀 변하기 시작했다. 멀리서 직급이 좀 있는 걸로 보이는 분이 달려왔고 욕쟁이 아저씨에게 '아이고, 선생님 무슨 일로 이렇게 화가 나셨어요?'라고 물었다. 7㎝ 구두를 신어 내가 그 아저씨보다 컸는데 나는 어째 보이지도 않는 존재로 취급당했다. 아저씨가 상황을 설명하자 나이가 지긋한 경찰 아저씨가 '여기가 신입이라 일을 좀 융통성 있게 처리를 못 했네요. 아이고 선생님 죄송합니다. 들어가세요. 날도 더운데 화내지 마시고.' 저기요? 나한테도 좀 설명해줄래요? 나도 설득 좀 해줄래요?

두 경찰은 속닥속닥 아무도 듣지 못할 크기의 목소리로 말을 맞추더니 우리 쪽 라인도 갑자기 보내주기 시작했다. 하지만 직감적으로 알 수 있었다. 결코 우리 시민들이 알아서는 안될 무언가 부정한 이유에서 였다는 건. 신입! 네가 그러고도 공공의 안전과 법질서 유지를 위한 국민의 지팡이라고 할 수 있는 거냐?! 그 멍청하고 개념 없는 신입 경찰도 능글맞게 상황만 덮고 수습하려는 노련한 경찰 아저씨도 교과서에서 배운 공정하게 우리를 지켜주는 훌륭한 경찰은 아니었다.

나도 자랑스럽지 않다 이런 거. 내 성질을 스스로 못 이겨 계획대로 우아하고 평정심을 유지하며 말하지도 못했고 심지어 그들에게 무시까지 당했다. 우리 차로 들어오자 상황은 더 안 좋았다. 내가 '아니 어떻게 아무도 도우러 나오지를 않아? 누구 한 명이라도 나왔어야지!' 했더니 너무 창피해서 나갈 수가 없었단다. 모르는 사람이 보면 내가 정말 진상 갑질 같았단다. 아직 어렸던 유치원생 아가는 울었단다. 경찰 아저씨는 우리를 지켜주는 착한 사람인데 왜 나는 그런 경찰 아저씨와 저렇게 싸우고 있는 거냐고. 내가 나쁜 사람이냐고 했단다. 진짜 나쁜 사람은 돈이나 성별 그리고 나이에 따라 사람을 판단하고 공평하거나 정의롭지 못하게 사람을 차별하는 인간성을 가진 사람 아닌가. 억울했다. 난 방금 그렇게 한 사람들에게 그러지 말라고 한 것 뿐이다. 쳇.

물론 세상에 모든 경찰이 위 사례로 든 것처럼 별로라는 건 절대 아니다. 사명감으로 진짜 목숨 바쳐 희생하고 고생하는 멋진 분들이 훨씬 많다는 걸 안다. 경찰이라는 직업에 대한 기대감 때문일까. 간혹 저런 일을 겪게 되면 더 실망스럽게 느껴지는 게 사실인 것 같다. 법의 여신이 눈을 가리고 있는 것처럼 법 앞에서 모두 평등한 권리를 남용하거나 오용하지 않는 사람들이 더 많아졌으면 하는 뜬구름 같은 바람일 뿐이다.

13. 더 이상의 빌런을 만들지 않기 위해

강의하면서 많은 사람들을 만나고 다양한 이야기를 접했다. 그 중에서 아직도 그리고 앞으로도 잊히지 않을 새빨간 이야기가 있다. 초등학교에서 강의 요청이 왔다. 교감 선생님이 직접 전화를 주셨다. 내가 꼭 와서 강의를 해주었으면 한다는 거의 부탁에 가까운 말씀이었지만 이미 짜여진 바쁜 일정과 어린 아이들과 교류가 잘 될까 하는 염려에 정중히 거절했다. 다음날 교장 선생님께서 전화를 주셨다. 사뭇 고해성사하는 느낌마저 드는 말투와 목소리였다. 사실은 우리 학교가 학생들 대상으로 심리 검사를 했는데 스트레스 지수가 우려가 될 정도로 높게 나왔다고 했다. 그중 수치가 높은 아이들을 모아 마음을 다독이고 무엇이 문제인가 알아보려는 시간을 가지려고 한다. 기존에 했던 뻔한 이야기는 아이들에게 먹히질 않을테니 선생님이 꼭 와서 아이들을 만나보았으면 한다고 말씀하셨다. 내가 뭐 대단한 사람이라고 이렇게까지 말씀하시나 하는 약간의 민망함과 함께 이렇게까지 내가 필요한 곳이라면 가는 게 맞겠다는 생각이 들었다.

흔히 애니메이션 영화는 어린아이들을 대상으로 만들어진 조금은 유치하고 단순한 권선징악의 결과가 훤히 들여다보이는 메시지만을 담고 있다고 생각하는 경향이 있다. 하지만 드림웍스에서 만든 쿵푸팬더나 드래곤 길들이기, 픽사의 몬스터 주식회사, 월E, 업, 인사이드 아웃, 코코, 소울 등은 웬만한 영화보다 더 철학적이고 깊이 있는 삶의 지혜를 담고 있다. 예전에는 중학생이 사춘기의 시작이라고들 했지만, 요즘엔 초등학생부터 무서운 반항의 시기가 시작된다고들 하니 솔직히 겁이 조금 났다. 하지만 걱정했던 것보다 아이들은 순수했다. 말을 조금 거칠게 하거나 자신을 특별하게 드러내고 싶어 하는 몇몇 아이들이 있었지만, 아이들은 생각보다 재미있게 따라오고 있었다.

행복이라는 주제로 그림을 그려보기로 했다. 흔히들 초등학생에게 행복이라고 하면 게임이나 돈을 떠올리는 세상이 되었지만, 이번 시간만큼은 지금 내가 소망하는 이루고 싶은 것을 그려보자고 했다. 진짜 일어났으면 하는 일들 말이다. 아이들은 진지하게 열심히 그림을 그렸다. 한 아이는 가족 다 같이 비행기를 타고 여행을 갔던 기억을 떠올리며 다시 한번 가족 여행을 가고 싶다는 그림을 그렸다. 별 거 아닌 것 같지만 한부모 가정에서 자라고 있는 아이에겐 거의 불가능에 가까운 희망이었다. 한 아이는 자전거를 그렸다. 손톱에 때가 까맣게 끼고 엄마도 아주 바쁘셔서 아침은 항상 혼자 빵으로 챙겨 먹고 나와야 하는 아이에게 백만 원에 가까운 멋지고 비싼 브랜드 자전거는 꿈이었다. 뭔가 마음이 짠했지만, 티를 낼 수는 없었다. 동정받기를 절대적으로 싫어하는 아이들에게 불쌍하고 안타까운 눈빛은 순식간에 단단한 방어기제로 마음의 철벽을 치게 만들기 때문이다.

눈길이 절로 가는 굉장히 특이한 그림을 그리는 아이가 있었다. 스케치북 전체를 새빨갛게 칠하고 있었다. 그것도 굉장히 빈틈없이 이마에 땀까지 송골송골하게 맺힐 정도로 열심히 말이다. 조심스럽게 물어보았다. "이 빨간색은 무슨 그림일까?" 떡볶이나 딸기 탕후루와 같은 것을 예상했지만 아이의 대답은 훨씬 단순했다. "불이요." 불길한 예감은 빗나가지 않았다. 이유를 묻자 아이가 이렇게 대답했다. 본인과 나이 차이가 크게 나는 형이 있고 형은 공부를 아주 많이 잘해서 우리나라에서 제일 좋은 대학교에 다닌다. 그런데 본인은 공부를 아주 싫어하고 못 한단다. 부모님은 자기가 형과 같은 대학교를 가야 한다며 학원을 6개나 보낸다고 했다. 학원을 마치고 오면 자정이 다 된다. 수학과 영어가 제일 싫다. 수학은 매번 문제집을 풀어가야 하는 과제가 있는데 너무너무 풀기 싫어서 학교 휴지통에 찢어버리고 잃어버렸다고 하는 게 더 많단다. 영어는 심지어 매일 간다. 그리고 매일같이 단어 시험을 본다. 시험 결과는 하루도 빠짐없이 부모님에게 문자로 보내진다고 한다. 수학 학원과 영어 학원은 같은 건물에 있다. 그 건물에 불이 나는 게 그 아이의 꿈이었다. 그러면 제일 싫은 영어 선생님이 죽어서 엄마에게 문자를 보내지 못할 것이고 수학 선생님도 문제집을 나누어 주지 못할 테니 행복할 것 같다고 했다.

겨우 12살이었다. 초등학교 5학년의 행복이 누군가의 죽음이라는 건 누가 봐도 너무 위험했다. 그것도 절대 살아나올 수 없게 조금의 빈틈도 없도록 꼼꼼하고 쉽사리 꺼지지 않을 것만 같은 활활 타오르는 불씨였다. 속으로는 놀라고 당황했지만 "그렇구나. 그럴 수도 있겠다."라고 넘겼고 모두를 위해 그림들은 회수했다. 강의가 끝나고 담당 선생님께 그 아이의 그림을 전달했다. 얼핏 보면 아무런 의미도 없는 그림 같지만, 그 안에 담긴 아이의 마음을 전달하며 이 그림이 담임 선생님에게 전달되고 다시 부모님께 꼭 전달되었으면 한다는 당부와 부탁을 하고 나왔다.

마음이 좋지 않았다. 좀 더 긍정적이고 구체적인 경험을 위해 행복이라는 단어를 끌어낸 것인데 오히려 아이들에게 무모한 희망을 꿈꾸게 한 것은 아닌지 상처가 된 건 아닌지 자책했다.

다행인지 불행인지 그 학교의 교장 선생님에게 다시 전화가 왔다. 예산 때문에 더는 부탁 못 드리겠고 딱 두 번만 더 와달라고 하셨다. 수업에 참여했던 아이들이 그 선생님 언제 다시 오냐고 묻는다고 했다. 영화 또 보고 싶다고. 또 놀고 싶다고. 이런. 운전 중인데 주책맞게 눈물이 차올랐다.

이번에는 아이들에게 좀 더 가볍고 유쾌한 경험을 하게 해주어야겠다. 영화 <인사이드 아웃>과 함께 주인공이 계속 화가 나는 책을 준비했다. 사비로 풍선도 준비했다. 아이들에게 영화와 책에 관해 같이 이야기하고 풍선을 있는 힘껏 불라고 했다. 터져도 괜찮다고. 너희가 화가 나는 그 순간을 생각하며 풍선을 불고 풍선에 그 사람 이름이나 그 상황을 적어도 좋다고 했다. 아이들은 진짜 화를 쏟아 내기라도 하듯 풍선을 크게 불었다. 그리고 터뜨려 버리자고 했다. 내가 불어넣은 화, 속상함 그리고 짜증을 다 터프려 없애버리자고 했다. 아이들은 자꾸 날아가며 도망가는 풍선을 붙잡고 손으로 있는 힘껏 터뜨리고 엉덩이로 깔고 앉으며 교실을 실컷 돌아다니고 웃으며 터지는 풍선을 보고 웃었다. 나도 같이 웃었다. 한 여자아이가 울었다. 한 명이 울자 옆에 있던 두 세 명의 여자아이도 같이 울었다. 이유는 묻지 않았다. 그냥 가서 괜찮다고 했다. 너희가 그 풍선을 터뜨렸으니 이제 그것들은 너희를 괴롭히지 못할 거라고. 너희 마음속에서 더는 그것들로 인해 흔들리지 않을 힘이 생긴 거라고. 나도 눈물이 났지만, 다시 웃었다. 아이들도 다시 웃을 수 있도록 말이다.

마지막 시간은 나만의 행복만을 바라는 것이 아닌 다른 사람들의 행복도 바라보는 시간을 준비했다. 자신에게 소중한 것을 종이에 쓰고 그것을 옆 친구에게 나누어 줄 수 있는지 물었다. 버블티를 매일 마실 정도로 좋아하던 친구는 양보할 수 없다고 했다. 공기를 깨끗하게 해주는 나무가 소중하다는 친구도 있었다. 영상을 보여주었다. 북한에서 먹을 것이 없어 식물의 뿌리나 두더지, 쥐를 잡아먹는 아이들, 아프리카에서 물이 더러워 아이가 병에 걸렸지만, 목이 말라 하는 아이에게 어쩔 수 없이 또 그 물을 떠다 먹일 수밖에 없는 엄마. 우리와는 상관없는 먼 나라 이야기일까? 부모님 두 분 모두 안 계시고 폐지를 줍는 할머니와 동생을 위해 밥을 짓는 초등학생, 온몸의 피부가 다 흘러내리는 병에 걸렸지만, 아무것도 해줄 수 없는 부모님의 마음. 꼭 돈이 들지 않아도 된다. 김치를 담그는 단체에서 함께 김장을 하여 독거 노인분들에게 가져다드릴 수도 있고 자신이 가진 재능으로 보육원이나 양로원에서 머리를 잘라주는 분도 있다고 했다. 아이들은 배드민턴을 가르쳐주고 노래와 춤으로 무대를 보여주고 싶다고 했다. 조금 더 크면 집을 지어주는 단체에서 활동할 수도 있다고 소개해주었다. 교통사고로 뇌사 판정을 받은 대학생 형이 장기 기증으로 27명에게 생명을 준 이야기도 들려주며 내 장기기증 카드를 보여주었다.

내가 세상에서 제일 불행하고 힘든 것 같다는 마음이 들 때가 있지만 생각보다 내가 누리고 가진 것이 참 많아 보이는 순간도 있다. 내 안의 불행에 빠져서 항상 화를 내고 슬퍼하는 것보다 그 에너지를 다른 사람들과 함께 나누는 것에 쓴다면 어떨까? 수업을 마치면서 아이들이 할 수 있는 또는 하고 싶은 나눔을 이야기해보았다. 아프리카에 가서 직접 친구들을 돕고 싶다는 아이도 있었고 버블티를 적게 마시고 죽기 전에 전 재산을 기부한다는 친구도 있었다. 불과 피가 행복이었던 아이는 장기 기증을 하는 자신의 모습을 상상했다. 누군가의 죽음을 바라던 아이가 누군가를 살리고 싶어 하는 마음이 생겼다는 건 놀라운 일임이 분명했다. 그렇게 짧은 세 번의 만남이 끝이 났다. 교장 선생님은 나의 두 손을 꼭 부여잡고 감사하다는 말씀을 몇 번이나 하셨다.

아직도 그 학생이 12시까지 학원에 다니고 매일 단어 시험을 보는지 나는 모른다. 풍선에 '엄마'라고 썼던 친구가 지금도 엄마를 세상에서 가장 미워하고 있는지 아니면 용서를 했는지 모른다. 그저 내가 할 수 있는 선에서 아이들이 그리고 나와 시간을 함께한 모든 사람이 조금 더 가볍게 살아가기를 바라는 마음이다.

14. A도 F도 행복해야지

대학생들에게 강의를 하다보면 전공 교수님들이 들으면 안될 우리끼리의 비밀 이야기가 많아진다. 너무 열심히 살지 말자는, 공부하느라 절대 밤새지 말라는, 학점보다 청춘이 중요하다는 나의 말들은 학과장님 귀에 들어가면 큰일날 소리이기 때문이다. 적어도 어른 중에 한명 정도는 이렇게 말해줘도 괜찮을 것 같다. 라기엔 꼭 한명쯤은 해줘야 할 것 같았다. 부모님의 기대와 전공 과목에서 해야하는 어마어마한 양의 과제들, 이력서에 한 줄이라도 더 넣을 대회 준비, 거기에 학비에 조금이라도 보탤 수 있는 아르바이트까지. 요즘엔 이런 걸 갓생이라고 한다더라.

나도 대학교를 다닐 때 그런 친구들을 보긴 했다. 그 두꺼운 전공책을 을/를 조사까지 외워서 시험을 보더라. 객관식이건 주관식이건 당황하는 문제가 없었고 활발한 동아리 활동 덕에 회장까지 맡았다. 그 동아리 회장들은 역대로 잘된 선배들이 지나간 자리라서 그 친구의 미래도 사실상 이미 방송국에 들어갔다고 말할 정도였다. 거기에 그 친구의 고향에서 우등생으로 기숙사와 등록금까지 대주어 부모님 돈 한푼 들이지 않았고 심지어 그 바쁜 와중에 연애까지 하는 걸 보고는 부러움마저 포기했다. 그 중 연애가 제일 신기하긴 했다. 물론 얼굴도 귀엽고 성격도 좋은 건 아는데 도대체 연애할 시간이 있기는 했을까? 잠도 못잘 것 같은 스케줄이었는데.

학점도 똥이면서 연애도 안하는 건지 못하는 건지 아무튼 혼자 덩그러니 아무도 아닌 것처럼 느껴지는 내가 한심했다. 포기는 이럴 때 하라고 존재하는 말 같았다. 쟤는 나와는 다른 행성에 살고 있구나. 인간의 영역에 존재하지 않는 아이구나. 라고 생각했더니 세상 그렇게 편해질 수가 없는거다. 학사 경고를 맞아도 그다지 충격이 크지 않았던 건 출석 100%에 과제 다 내고 중간 기말 시험을 모두 보아도 상대평가로 한 반에 꼭 몇 명은 F 가 나올 수밖에 없던 우리 학교 제도 때문이었다.

필수로 들어야 하는 영어 과목이었는데 인생의 절반 이상을 외국 생활을 해서 속담이나 사자성어가 오히려 어색한 아이들 틈에 껴서 영어로 토론이란 것을 하기엔 당시 우리나라 고등학교 영어 교육 제도로는 솔직히 불가능에 가깝다. 아 물론 세상이 당연히 불공평하다는 건 알지만 그럴거면 그냥 수업이라도 시원하게 째서 놀기라도 할 것을 이라는 후회 정도랄까. 아무튼 그때부터 난 좀 열심히 살지 않는 스스로를 핑계삼아 적당함에 머물렀다.

그런데 그게 또 그리 나쁘지만은 않았다. 그 미래 로봇같던 완벽했던 과 탑 친구는 어떤 언론사에 들어갔다고 했는데 지금 뭘

하며 살고 있는지 정확히는 모르지만 사회에 나와서 각자 갈 길 가다보니 남과 비교할만큼 시간적 여유도 그러할 필요성도 없더라. 물론 나보다 돈도 더 잘 벌고 이사님이나 전무님이 되어 최연소 국장같은 타이틀을 달아 행복하게 살 수도 있지만 그건 그 아이가 열심히 산 만큼 결과를 얻는 것이니 질투가 날 것도 나는 뭐하고 살았나 신세한탄을 할 것도 없다.

사실 나도 꽤 알아주는 언론사 인턴으로 들어가 보았는데 밤낮없이 사람을 재우지도 않고 24시간 풀로 돌려대는 선배 덕에 일주일 만에 그만뒀다. 의지박약이라고? 으음. 아깝지 않으니 후회할 것도 없다. 기준과 선택의 차이일 뿐이다. F 를 맞은 영어 시간에 대놓고 내가 못알아듣는다 생각했는지 아니면 알아들어도 영어로 못받아칠 걸 알아서 그랬던 건지 뒤에 있던 교포 친구랑 내 영어 발음이 너무 후져서 못알아듣겠다며 낄낄 웃던 걔는 몇 년 전 TV에서 봤다. 솔로 남녀들이 짝을 찾는 프로그램이었는데 영어 강사 하면서 산다더라. 아니 그럴거면 왜 엉뚱한 전공에 와서 멀쩡하게 대한민국에서 ABC 공부 열심히 했던 나를 욕한 거냐고. 인성이 매우 별로였던 걔는 그 프로그램에서 결국 아무와도 짝이 안됐다. 훗. 그러니까 내 결론은 다른 사람들이 정해놓은 객관적인 성공에 목숨까지 걸 필요는 없다는 거다.

과탑 친구와 나를 비교해서 정말 공부에 올인을 했다면 학점은 지금처럼 어디 가서 내밀기 민망한 정도는 아니였겠지만 그만큼의 추억도 경험도 없었을 거다. 한겨울에 남산 자동차 극장에서 공사 현장에서 일하시는 분들이 드는 빨간 봉을 흔들고 형광 엑

스자 띠를 입고 오라이 오라이를 외칠 일은 없었을 거다. 석유 난로 앞에서 시린 손을 쬐가며 군고구마를 먹었던 낭만도 없을테고 돈이 모자라 여행을 가서 6인실 도미토리에서 세계 각국에서 온 청춘들의 뜨거운 밤에 숨죽여 자는 척을 해야만 했던 일도 없었을 거다. 물론 지금이니까 낭만이고 뜨거운 밤이지 당시엔 동상이 걸릴 정도로 춥고 침대에서 나가지도 못하고 들어가지도 못해 화장실을 참았던 건 마냥 아름답지만은 않다. 그래도 그게 삶의 재미아니겠나 싶다. 나는 그렇다는 거다.

영어 발음은 후졌어도 외국에서 대학원에 가보고 싶었던 나는 매일 영어로 일기를 쓰고 뉴스를 듣고 영어 잘하는 다른 나라 친구와 대화를 하면서 호주에서 IELTS 6.0 을 받았다. 의대나 영문학 같은 전문적인 영어를 다루지 않는 적어도 내가 공부하는 미디어 대학원은 갈 수 있는 점수였다. 물론 엄마에게 짐이 되는 게 부담스러워 외국에서 대학원 진학하는 것을 포기했지만 그래도 영어로 낙태에 대해 토론을 하고 환경 오염의 심각성과 재활용의 현실적인 한계에 대한 글을 쓸 정도로 먹고 사는데 문제는 없었다. 다시 한번 말하지만 기준과 선택의 차이일 뿐인거다.

*

학생들과 첫 시간에 항상 하는 약속이 있다. 수업 시간에 개인 발표 시간도 있고 주제가 다양한 만큼 각자의 생각을 솔직하게 나누다 보면 종교나 정치적 혹은 여러가지 민감한 이야기가 다뤄질 수도 있다. 이 수업 시간만큼은 수업 시간에 말하는 사람도 듣는 사람도 교실을 나가는 순간 잊기로 한다. 오프 더 레코드. 물론 교수자인 나부터 가감없이 개인적인 경험과 생각을 나눈다. 서로의 생각을 존중하며 지켜주는 것이 내가 진행하는 수업에서 가져야할 기본적인 마인드이다.

비판과 비난은 엄연히 다르다. 비판은 앞서 말한 의견 가운데 어느 부분의 명확한 오류를 지적하면서 자신의 합리적인 주장과 함께 그에 대한 보안책은 무엇인지를 제시하는 경우를 말하지만 '비난'의 비(非)는 비방한다는 뜻이고, 난(難)은 힐난한다는 뜻으로 상대방의 잘못이나 결점을 책잡아서 나쁘게 말하되 터무니없이 사실과 전혀 맞지 않게 힐뜯는 것을 말한다. 이 경우는 악의가 깔려있는 것이다. 나와 생각이 다르고 취미가 다르고 언어가 다르고 문화가 다르고 피부색이 달라도 그것을 인정할 줄 알아야 한다. 자유로운 토론 속에는 그만큼의 책임이 따른다는 것 잊지 말아야 한다. 다양성과 다정함 그것이 우리가 목표하는 바이다.

개인적인 에세이 과제는 서로 공유하지 않고 교수자인 나에게만 보여지도록 한다. 그럼 학생들의 아픈 마음들을 조금씩 천천히 열어 보여줄 때가 있다. 어린 시절 좋지 못한 경험이라던지 가족의 불행, 남들과는 조금은 다른 성적취향, 떠올리고 싶지 않지만 그것을 꼭 한번은 스스로 들여다보고 고름을 짜내어 소독을 해서 제대로 아물 수 있도록 하는 이야기들. 그래서 나는 너무 많은 과제를 내지는 않는다. 너무 많은 인원을 받지도 않으려고 한다. 수업을 듣는 한명 한명 그 이야기를 들어주고 이름을 불러주며 꼭 한번씩은 사람들 앞에서 자신의 이야기를 말할 기회를 만든다. 처음에는 불편해하던 친구들도 나중에는 대학에 다니면서 이런 수업은 처음 받아보았다며 의미있었다는 말을 남겨준다.

오늘은 학기 수업 평가를 받은 날이다. 그래서 그런지 기분이 더 감상에 젖어 멜랑꼴리한 상태로 글을 쓰고 있는 지도 모르겠다. 간혹 수업을 마음에 들지 않아하는 학생도 있지만 그것도 그 학생의 생각이니까. 나도 나의 생각으로 안내자가 되어 보려고 한다.

과제를 하다가 대상포진에 걸렸다는 학생이 발표를 하는데 그렇게 장성한 자식이 있는 것도 아닌데 너희 어머니가 얼마나 마음 아프시겠냐며 나무란 적이 있다. 절대 네가 세상에서 제일 소중한 존재가 되어야한다고.

모두 소중한 존재로 살아나가는 경험을 했으면 한다.

15. 사실은 숨은 히어로일지도

서울에만 내가 설치한 횡단보도가 3개 이상은 된다. 워낙 오래 전부터 차근차근 이루어진 일이라 이유가 하나하나 다 기억나지는 않지만 필요한 이유는 각기 분명했다. 스쿨존에서 아이가 차에 치었다. 피가 철철 흐르고 의식을 잃은 것 같진 않았지만 아이는 많이 놀라 어지러움과 구토감을 호소했고 지나가던 한 대학생이 바로 119에 신고를 했다. 그 때는 스쿨존이라는 명칭이 잘 알려지지도 않은 때이고 민식이법이 생기기도 전이었다. 딱정벌레를 닮은 빨간색 차에 뒤에 '초보 운전'을 떡 하니 붙여놓고는 비보호 좌회전 도로에서 카톡을 하느라 아이를 보지 못했던 운전자는 손을 덜덜 떨며 내렸다. 그런데 10년 넘게 무사고인 나도 운전을 할 때는 옆에 편한 운동화를 두고 항상 갈아신는데 그 사람의 발에는 10센치는 족히 되보이는 하이힐이 신겨져 있었다. 경찰이 오고 구급대원도 왔다. 차는 새 걸로 보이는데 이미 양쪽 문에 긁힌 자국이 얼핏봐도 두어 개는 되어 보였다. 경찰도 운전자 조회를 해보더니 차 뽑은지 얼마 되지도 않으셨는데 사고가 처음이 아니네요 라고 말했다. 초보가 문제라는 게 아니다. 나도 태어나서 처음 좌회전이라는 걸 했을 때 속도를 줄여야 하는 줄 모르고 직진으로 가던 속도 그대로 돌다가 차가 뒤집힐 뻔한 적이 있었다. 하지만 운전 중 핸드폰이나 하이힐은 분명 잘못이었다. 운전자도 명백하게 잘못했지만 비보호 좌회전을 돌자마자 신호등이 없는 횡단보도가 있는 것도 문제였다. 그것도 초등학생들이 다니는 학교에서 100미터도 되지 않은 곳이었다.

해당 초등학교에 전화를 걸었다. 주말에 이러한 사고가 났었는데 학교에서 학생 보호 차원으로 어떠한 조치를 취해야 한다고 생각한다. 전화를 받은 선생님은 좀 더 직급이 높은 선생님을 바꿔주는 듯 했고 그 선생님은 그건 학교에서 마음대로 할 수 있는 게 아니라면서 구청에 전화를 해보라고 했다. 구청에 전화했다. 다시 한번 상황을 설명하고 해당 구역에 신호등이 필요할 것 같다고 제안했다. 구청에서 판단할 수 있는 문제가 아니므로 경찰서에 전화를 하라고 했다. 경찰서에 전화를 했다. 또 똑같은 이야기를 반복했고 신호등이 필요한 지 다른 방법이 있는 지 확인해보면 좋을 것 같다고 했다. 경찰서는 서울시에 전화하라고 했다. 좋아. 끝까지 가보자. 서울시 다산콜 120에 전화를 했고 다산콜은 다시 해당 학교로 전화를 하라고 했다. 오호라 예상은 했지만 내 책임이 아니면 그만이라는 태도로 신고자를 돌리고 돌려 지치게 만들어 포기하게 하려는 속셈을 모르는 바 아니다. 화는 내지 않았다. 이제는 이런 일도 어느 정도 익숙했고 화를 내봤자 오히려 녹음되고 있는 걸 토대로 나중엔 나한테 더 불리할 뿐이다. 그렇게 같은 순서로 세 번 정도는 돌고 돌았다. 학교, 구청, 경찰서, 서울시 다시 학교, 구청, 경찰서, 서울시 그리고 학교. 알겠으니까 직접 나가서 사고 현장을 확인하고 필요성이 있다고 판단되면 설치를 하겠다 그러니까 전화 그만 하셔도 된다 라는 대답까지 듣고는 더이상 전화를 하지 않았다. 누군가 책임감을 가지고 사실 확인을 해보고 수정할 게 있으면 고치려는 노력이라도 하는 게 당연한 거 아닌가. 그러라고 우리 사회가 존재하는 것 아니겠느냔 말이다.

내가 국회의원 딸도 아니고 구청장 조카도 아닌데 전화 몇통 돌렸다고 뭐가 달라지겠는가. 오기가 생겼던 거다. 끝까지 빠져나갈 구멍만을 찾는 그들이 원망스러워서. 나도 매일 그 횡단보도를 건너 지하철을 탔고 한달이 지나도 바뀌는 건 없었다.

어느 월요일. 매일 아침처럼 양옆을 확인하고 횡단보도를 건너려는데 엇?! 빨간불이 보였다. 주말에 신호등이 설치된 것이다. 진짜? 우연의 일치인가. 신기하네. 설마 내 전화 때문은 아니겠지라고 별 생각없이 초록불에 맞춰 길을 건넜다. 그리고 몇 주가 지났을까. 자주 가던 칼국수 집 가게 사장님이 새로 생긴 신호등 얘기를 하셨다. '내가 얼마 전에 우리 아들 학교 녹색 어머니에 다녀왔잖아. 그런데 녹색 어머니 회장이 아주 학을 떼면서 하소연을 하더라고. 어떤 사람이 여기 횡단보도에서 사고가 난 걸 보고 아이들이 위험할 수 있으니까 신호등을 설치해야한다고 학교에 구청에 경찰서에 아주 난리를 쳤나봐. 그래서 결국 녹색 어머니 회장이랑 학교 담당자랑 구청에 갔다가 경찰서에 갔다가. 암튼 엄청 고생했나보더라고. 독하다 독해 세상에.'

그 날 따라 칼국수에 겉절이가 그렇게 맛있을 수가 없었다. 모질고 매서운 누군가 덕분에 그 동네 아이들이 그리고 녹색 어머니 회장님과 칼국수 사장님도 안전해질 수 있다면 독하다는 소리쯤이야 뭐가 대수이겠는가.

*

구청에서 운영하는 문화센터 수업을 수강하였는데 첫수업부터 기대했던 분위기와는 많이 달랐다. 강사분이 비속어를 많이 사용했고 수강생들을 대상으로 반말을 하는 것도 듣기 좋지는 않았다. 서양 역사와 건축물에 대한 강의라 가까이서 자세히 보아도 모자랄 건축물 사진을 교실도 아닌 대강당에서 조막만하게 띄워놓은 빔 프로젝트 환경도 영 마뜩치 않았다. 수강생을 많이 받아야 그만큼 돈을 많이 벌어서겠지.

첫수업이 진행되는 도중에 이건 아니다싶어 나왔다. 수강취소를 원한다고 했다. 그런데 안된단다. 생전 처음 들어보는 이유였다. 10번이 넘는 수업은 부분 환불을 해주는데 이 수업은 8번이기 때문에 아예 환불 자체를 해줄 수가 없다는 것이었다. 전체 환불을 원하는 것도 아니고 이미 지나간 오늘 첫 회차를 제외하고 환불을 원하는 이 상황에 10번은 도대체 어디서 생긴 기준인지 궁금했다. 다시 한번 수강 신청 사이트에 들어가 꼼꼼하게 확인을 해봐도 8번, 10번에 대한 환불 기준에 대한 설명은 없었다. 몇만 원 되지 않는 수강료 였지만 금액의 크기가 문제가 아니라 정당한 근거로 시민들을 대해야할 공공기관이었다. 끝까지 안된다는 직원의 말에 나는 다시 해당 센터 게시판에 문의글을 올렸고 하루가 지나기도 전에 전화가 왔다. 그들이 말하는 윗분들이 내 글을 보셨다며 원래는 안되는데 나한테는 환불을 해주겠단다. 그러니 글은 내려달라고.

그러면 안되지. 왜 나한테만 해준다고 하는건가? 그리고 잘못된 규칙이 아니라면 왜 그 글을 내려야 하는것인가? 누구나 궁금한 걸 문의하라고 만든 공공 게시판이다. 우는 아이 떡 하나 더 주는 것도 아니고 공론화 시키면 문제를 덮기에 바쁘고 그냥 넘어가는 사람들 돈은 꿀꺽 한다는 건 설마 아니겠지. 결국 규칙을 공정하게 수정하고 그러한 경우 누구에게나 환불을 해준다고 문의글에 댓글로 달아달라고 했다.

총알 배송이라 써놓고 신상품은 계속 업데이트 하면서 한달째 물건을 보내지 않고 연락도 받지 않는 쇼핑몰을 한국소비자원에 신고를 하기도 했고 억지로 수작을 부려 부당하게 돈을 뜯어내려는 사기꾼들에게 당하고 싶지 않아 그들이 원하는 돈보다 훨씬 많은 돈을 들여 변호사를 선임한 적도 있다. 자랑할 일도 아니지만 부끄러운 일도 아니다. 그걸 당한 혹은 발견한 누군가는 해야할 권리이자 의무이기도 했다. 안바쁘냐고? 그렇게 피곤하게 살고 싶냐고? 잘못된 걸 잘못됐다 말하고 고치려고 노력하는 게 훨씬 안피곤하고 보람있다.

난 스스로를 화이트 불편러라고 칭하기로 했다. 사회의 부조리를 참지 않고 정의롭게 나서서 자신의 주장을 펼치며 공감을 이끌어내고 여론을 형성하는 사람. 이 정도면 난 빌런이 아니라 숨은 히어로일지도 모르겠다.

16. 피빨강의 자유

마트 계산대에 생리대를 올려놓고 기다리는데 계산원 아주머니께서 내 차례가 오기가 무섭게 생리대를 게 눈 감추듯 마트 전단지로 둘둘 감싸시고는 돈을 주고 사야 하는 투명한 마트 봉지 말고 갑자기 어디서 나셨는지 공짜 검정 봉지에 후딱 넣어서 건네주셨다. 그리고는 조금은 뿌듯하신 듯 약간은 신세 한탄을 하시듯 말씀하셨다. "우리가 하고 싶어서 하는 것도 아닌데 그리고 뭐 죄지은 것도 아닌데 생리대는 왜 매번 이렇게 숨겨서 다녀야 하는지 모르겠어. 그래도 남들 안 보이게 검정 봉지에 넣었어." 굳이 봉투를 살 생각도 전단지로 둘둘 감쌀 계획도 없었다. 들고 가기에 손이 시린 날씨였지만 고작 요 자그마한 거에 땅속에서 잘 썩지도 않는다는 비닐을 쓸 생각은 없었다. 집 앞 마트니까 그냥 손으로 들고 갈 생각이었다. 새우깡을 들고 가듯 요구르트를 들고 가듯 말이다.

중고등학생 때까지만 해도 남자 아르바이트생이 있는 편의점에서는 생리대를 살 생각조차 못 했다. 친구들끼리도 속삭이듯 '그날'이나 '마법'이라는 말로 생리를 대신했으며 대학교에 가고 나서는 뭔가 좀 유식해 보이는 '월경'이라는 단어를 사용했다. 나중에 알고 보니 달마다 반복되는 여성의 생리현상이라는 의미에서 에둘러 가리키는 말이 월경이었으며 이 단어는 과거에는 쓰였지만, 현재는 사용되지 않는 말인 사어에 가까웠다. 기대했던 유식함과는 거리가 멀었던 것이다.

계산원 아주머니의 말과 행동을 보니 기분이 묘했다. 분명 말은 '죄를 지은 것도 아닌데'라는 표현을 쓰셨는데 행동은 그와 정반대로 마치 미성년자에게 담배를 파는 것처럼 후다닥 남들 모르게 주셨다. 내가 그렇게 행동하고 말할 때는 몰랐는데 다른 사람이 하는 것을 객관적으로 보게 되니 이게 아주 불필요하고 이상한 거라는 생각이 들었다. 때마침 듣고 있던 수업에서 평소 자신이 연구해보고 싶었던 주제로 소논문을 써보는 과제가 있었다. 이거다 싶었다. 우리나라의 생리에 대한 사회 인식이나 변화를 전공인 미디어와 연결하여 연구해보고 싶어졌다. 생리대 광고에 대해 알아보며 알게 된 사실들은 생각보다 더 흥미로웠다.

대표적인 남성 필수품인 면도기와 달리 여성 필수품인 생리대가 TV 광고에 나타난 것은 그리 오래되지 않았다. 1995년 방송광고 심의규정이 개정되면서부터 전파를 탈 수 있었다. 2016년 제217회 광주시 광산구의회 정례회에서 저소득층 지원 물품에 생리대를 추가하는 내용의 건의안이 제출되었을 때 한 남성의원은

'생리대'라는 용어에 대해 '청소년이 되었든 여성이 되었든 조금 듣기 거북하다'라며, '본 회의장에서 생리대라는 것은 좀 적절치 못한 발언이지 않나 그런 생각이 든다'라는 발언을 하기도 했다. 이렇듯 우리나라에 일회용 생리대가 등장한 지 20년이 지나서야 TV에서 광고를 보게 되고, 생리대라는 단어가 대한민국 의회에서 거북하고 적절치 못한 단어로 지적받은 것은 우리 사회가 생리를 어떤 시각으로 바라보는지 알 수 있게 해준다.

TV 광고에 대해 연구하였을 때 생리의 실제인 붉은색을 필사적으로 피해 하얗고 푸른색으로 점철된 광고는 다수의 생리대 광고에서 볼 수 있었다. 청순한 느낌의 하늘하늘한 밝은색 쉬폰 원피스를 입은 대학생을 인터뷰하는 장면은 웃음이 나기까지 했다. 초경과 폐경의 평균 나이인 13세에서 50세 여성들에게 물어보라. 공연처럼 특정 의상을 입어야 하는 날이 아닌데 굳이 생리하는 날에 하얀색 원피스를 입고 나가는 사람이 얼마나 되는지. 시간이 지남에 따라 사회적 인식이 변화함에 따라 분위기나 의상이 달라지는 것을 볼 수 있다. 쉬폰 원피스 대신 레깅스를 입고 익스트림 스포츠의 일종인 파쿠르를 즐기는 여성, 화려한 무늬의 짧은 탱크톱과 바지, 긴 생머리가 아닌 한쪽으로 땋은 머리의 패션을 보여주며 다이나믹한 춤 연습을 하는 댄서를 보여줌으로써 생리 중에도 사회 속에서 자신의 역할을 해내고 있는 여성의 모습을 보여준다. 하지만 일부 여성들은 '여성스러움' 대신 '섹시함'을 표현한 것이며 여성들이 생리일에 느끼는 생리통을 전혀 고려하지 않아 현실성이 떨어진다는 비판을 하기도 했다. 2019년에는 자궁을 의인화하여 표현된 한 여성이 빨간 배경에 빨간 정장, 빨간 구두,

빨간 립스틱을 바르고 있다. '자궁', '생리', '양 역대급', '축축 찝 찝' 모두 그동안의 생리대 광고에서는 볼 수 없었던 직접적이고 사실적인 표현들이었다. 이 외에도 다양한 방법으로 생리대 광고 를 연구했고 마지막 시간에 최종 발표가 있었다.

우리 조는 남성 학우들과 교수님께 실제 생리대를 하나씩 나누 어 주었다. 작은 사이즈의 팬티 라이너부터 가장 많이 쓰이는 중 형 날개형과 아기 기저귀 수준인 오버나이트형까지. 직접 뜯어보 셔도 좋다고 했고 쑥향이나 라벤더 향도 난다고 했다. 진짜 광고 에서 나오는 것처럼 깃털이 살포시 앉듯이 부드러운 느낌이 나는 지 만져보시라고 했다. 쭈뼛쭈뼛 만지작거리기만 할 뿐 직접 열어 보는 남학생은 없었다. 이것이 여러분의 여자친구가 부인이 혹은 딸이 여동생이 사용하는 것이라고 했다. 생리하는 것은 임신과도 질병과도 연결될 수 있으며 자연스러운 삶의 일부라고 했다. 터부 시되어야 하는 부끄러운 것을 여러분의 사랑하는 사람들이 하는 것이 아니며 최근 SNS에서도 일어나고 있는 생리의 자유에 대해 보여주었다.

한두 명씩 생리대를 열어보기 시작했고 만져보고 낯설고 민망 한 듯 웃기도 했다. 어쨌든 태어나 처음으로 생리대를 경험하게 하려는 시도는 성공이었다. 생리를 임신 가능한 여성의 척도로 여 기며 생명을 창조하는 창조주로 무조건 찬양받아야 한다는 것이 아니다. 생리가 평범하고 자연스러운 것임을 사회 구성원 모두가 인식하고 올바른 성 의식과 평등에 대해 고민하며, 생리로 인한 현실적인 고통을 존중하고 이해했으면 하는 것이 연구의 목적이었다.

　교실 맨 뒤에 팔짱을 끼고 앉아 발표 내내 핸드폰만 하는 남학생이 한 명 있었다. 나누어주었던 생리대는 손도 대지 않고 책상 끄트머리에 떨어질락 말락 하게 두고 있었고 의도한 것인지는 모르겠지만 나중에 수업이 끝났을 때 생리대를 가방으로 쓱 밀어 바닥으로 떨어트려 버렸다. 난 보았다. 그 남학생이 생리대 수거를 하고 있는 나와 떨어진 생리대를 번갈아 보며 한쪽 입꼬리를 올려 삐딱한 안면 비대칭이라도 온 듯한 표정으로 비웃고 있는 표정을. 머지않은 미래에 그것이 내 착각이 아니었음을 분명하게 보여주는 사건이 일어나고야 말았다.

17. 져도 진 게 아니다

회장 선거에 나갔다. 해야 하는 것 말고 하고 싶어서 적지 않은 돈까지 들여서 온 곳인데 불합리한 것들과 불필요한 것들이 많았다. 내가 생각해도 내가 잘할 것 같아서 지원했다. 간만에 귀차니즘은 묻어두고 불타오르는 눈빛으로 열정을 불태워보겠어! 단독 출마였지만 나만의 색깔과 계획을 확실하게 보여주고 싶었고, 기존에 하던 것들을 그대로 답습하며 지루해지고 싶지 않았다. 아름다운 전통이라는 것도 있지만 신선함이 가져다주는 새로움도 우리에겐 필요한 법이라 생각했다. 그게 문제였다. 적어도 그들에게는. 미디어를 공부하는 곳인 만큼 트렌드에 민감하게 반응하며 판에 박힌 틀보다는 살아 움직이는 영상으로 다가가고 싶었다.

한창 방송 예능에서 '부캐'가 유행하던 시기였다. 한 사람이 상황에 따라 여러 개의 캐릭터를 가지고 과정이나 분위기에 맞게 활동하는 것이다. 실존 인물이 새로운 캐릭터를 연기하는 것으로

'쇼미더머니 777'에서 래퍼 마미손의 등장이나 '놀면 뭐하니?'의 유산슬이 대표적이다. 이것은 단순히 게임 커뮤니티에서 시작된 부계정을 뜻하는 것으로 해석하는 것이 아닌 멀티 페르소나 즉, 다중적 자아라고 해서 인디 문화에서는 키치 트렌드로 존재하는 문화적 현상이다. 한 문화콘텐츠교수는 "유재석과 유산슬, 유고스타 등 다양한 캐릭터를 온전히 즐기기 위해서는 전후 맥락에 대한 이해가 필요하다. 처음에는 번거로울 수 있지만, 이것이 쌓일수록 더 큰 몰입감과 즐거움을 누릴 수 있다"라며 부캐 유행을 긍정적으로 해석했고, 이러한 유행의 이유에 유명 대중문화평론가는 "'타짜'의 곽철용 캐릭터가 영화 내에서는 부정적인 이미지지만 온라인상에서는 유쾌한 캐릭터로 재해석되는 것처럼, 결국 대중이 소비하고 열광하는 것은 캐릭터"라며 캐릭터의 열풍이 부캐의 열풍을 불렀다고 분석하기도 했다.

"안녕! 나는 태봉쓰 라고 해. 회장 선거에 나온 김태희가 누군지 궁금하지? 지금부터 자세히 알려줄게. 잘 들어봐!"라고 시작하는 첫 소개 영상. 여태까지의 후보들이 완전 정장을 딱 차려입고는 살짝 옆을 보는 어깨와 세상 자상해 보이고 따뜻해 보이는 너무나도 오그라드는 미소를 장착한 채 뻔하디뻔한 그리고 매번 제대로 지켜졌는지는 아무도 확인할 길이 없는 공중부양한 공약들을 나열하여 글자 몇 마디를 단톡방에 뿌리는 기존 형식과 비교하면 확실히 충격적이긴 했다. 개인적 역량은 재미있고 뛰어나지만, 그 능력을 선보일 기회가 부족했던 개그맨 김신영이 둘째이모 김다비로 새로운 캐릭터로 급부상했던 것처럼 나도 초반에 보여주었던 개인적인 공부에 집중하고 가끔 뒤풀이에서 인사 정도나

하는 아는 언니 말고 전체를 위해 무엇이 필요한지 정확히 파악하고 추진해나갈 수 있는 파워 에너지 회장이 되고자 하는 의지를 보여주고 싶었다. 내용이 진지하다고 해서 엄숙하고 무겁게 나갈 필요는 없다는 생각에 해당 단체 잠바를 입고 분위기는 오히려 밝고 친근하게 다가가고자 부캐를 사용한 것이다.

그런데 바로 전 기수의 회장단에 생리대를 차며 비열한 웃음을 짓던 그 사람이 있을 건 또 무엇인가. 그래 이래야 인생이 재미있지. 개의치 않았다. 나를 믿어주고 전적으로 지지해주며 도와주는 사람들이 있었기에 자신 있었다. 특히나 공약은 기존에 없던 새로운 아이디어와 정말 현실적이고 도움이 되는 것들로 엄청나게 고민했다. 새로운 변화와 혁신이라는 슬로건 아래 여태까지 공개된 적 없는 투명한 회계, 코로나로 인한 신입 환영회나 모임이 없어 교류가 불가능한 상황에 10명 이하의 스터디 혹은 소모임 개설, 불필요한 부서 개편 등 지금 보면 기존 선배들이 딱 싫어할 만한 것들만 고른 것 같기도 하다. 하지만 누가 싫어하고 좋아한다고 해서 못하고 안 해야 하는 건 아니지 않은가. 필요하다고 생각한 것을 한다고 했기에 지금도 후회는 없다. 투표 결과는 생각지도 못한 투표수 미달로 인한 부결이었다.

듣기론 그 생리대남이 자신의 동기들과 모든 선배에게 연락을 돌려 투표를 해주지 말자고 했다고 한다. 쟤 뽑으면 큰일 난다고. 순전히 생리대 사건 때문만은 아닐 것이다. 다른 수업에서도 만난 적이 있는데 교수님께서 설명해주신 철학자들의 이론을 도표화해서 이렇게 정리하는 것이 맞냐고 메일로 문의 드렸고, 교수님은 수업 시간에 내 이름을 거론하며 그 도표를 칭찬하셨다. 그냥 나대는 게 싫었던 거다. 좀 더 정확히 말하자면 잘난 게 싫었던 거라고 생각한다. 물론 명명백백하게 뉴스 보도를 하기 위해 조사를 한 것도 아니니 완전한 팩트라고 할 수는 없지만 그렇다고 아닌 뗀 굴뚝이라기엔 너무도 많은 사람들이 알고 있었다. 치사했다.

그래도 다시 해보기로 했다. 잘못한 게 없으니 포기할 필요도 없었다. 두 번째 투표에는 나를 포함한 3명의 후보가 출마했다. 한 명은 온전한 자의에 나온 친구였고 한 명은 나를 제거하기 위해 그 생리대남을 비롯한 일부 선배들이 앞세운 피노키오였다. 피노키오는 거짓말을 하면 코가 길어지는데 그 아이 코는 지구 몇 바퀴는 돌고도 남을 정도였다. 나에 대한 비방과 허위 사실 공표는 안 그래도 끓어오르는 나의 분노에 질주를 가했다. 결과는 힘이 빠졌다. 피노키오와 나의 동점. 유권자들은 피로감을 느꼈고 나 역시 마찬가지였다. 다들 좋자고 하는 회장 선거인데 이쯤 되면 그냥 누가 더 여론몰이, 친분 쌓기, 착한 척을 잘하나가 돼버린 상황이다.

결국, 이 단체가 생겨난 이후 처음으로 3차 투표까지 가는 상황이 발생했고 결과는 2표 차로 피노키오의 승. 억울함이 제일 크긴 했는데 쪽팔림, 허망함도 만만치 않았다. 청와대에 누가 들어갈 것인가를 정하는 것도 아닌데 이렇게까지 지저분한 경험이 불쾌했다. 더군다나 나이도 먹을 만큼 먹었고 경험도 쌓을 만큼 쌓은 지성인들이 모인 단체 아니었나. 하긴 국회에서 욕하고 머리끄덩이 잡으며 싸우는 사람들 다들 대학은 좋은 데 나왔더라.

그냥 다 때려치울까? 좀 쉴까 생각을 하다가 오래 고민은 하지 않기로 했다. 도망치지 말자. 고개 꼿꼿하게 들고 다니고 피노키오도 생리대남도 눈 똑바로 바라보고 다녀야지. 나는 그들처럼 뒤에서 치사한 짓은 안 했으니까.

반년 후 헛웃음이 나왔다. 어쨌든 나를 끌어 내리는 데 성공했으니 생리대남은 투표 이후 더는 필요가 없어진 피노키오를 버렸고 아무 생각 없이 욕심만 많던 피노키오는 공금 횡령으로 다음 회장에게 걸렸다고 하더라. 물론 이것도 공론화되지는 않았다. 아이고 구리다 구려.

여전히 동기와 후배 몇몇은 '내 주변 사람들 다 너한테 투표했는데 어떻게 된 거였어?'라는 질문을 하기도 한다. 그냥 웃어넘긴다. 동기 모임에 나오는 건 '저 언니가 못나서 어쩔 수 없이 제가 나와버렸네욧! 홍홍' 고약하게 비릿한 웃음을 짓던 피노키오가 아니라 튀어나온 못처럼 거슬리는, 모서리처럼 선배들의 눈엣가시였던 나니까.

18. 무지개색 천사 빌런

　반쯤 불타 거뭇거뭇하게 그을린 사람만한 흉측한 인형의 모습은 흡사 호러 영화에 나오는 소품 같았다. 학교라는 신성한 곳에 끈으로 목이 간당간당하게 매달린 채 흔들리고 있는 모습은 종교도 없고 성 소수자도 아닌 나에게조차 충격적인 모습으로 남아있다.

　내가 다니던 학교는 기독교 학교였다. 알고 입학한 것은 아니었는데 매주 채플이라는 과목을 무려 4년 내내 들어야 한다는 사실에 기함하고 강제 채플 수강에 반대 대자보라도 붙여보려고 했다. 그런데 처음 채플이라는 단어를 들었을 때 느낀 거부감보다는 그다지 종교적인 색깔을 띠고 있지 않았다. 발레 공연도 하고 교수님들이 직접 무대에 서는 합창단의 노래도 들어볼 수 있었고 TV에서만 보았던 우리 학교를 졸업한 대선배님들의 인터뷰도 직접 볼 수 있었다. 아침 일찍 그 수많은 계단을 종아리 근육에 쥐가 날 만큼 뛰는 게 관건이었지만 시련 없이 얻어지는 가르침이 어디 있으랴.

그런데 이건 생각보다 심각한 문제였다. 학교 내 동성애자 인권 모임이 있다는 이야기는 들어본 적이 있는데 실체를 본 적은 없었다. 어느 날 학생들이 가장 많이 지나다니는 학생회관에 사람 모양을 한 인형이 '우리에게도 권리는 존재합니다.'라는 팻말을 들고 앉아 있는 걸 보기 전까지는 말이다. 정확한 단어나 문구까지는 구체적으로 기억이 나지 않는다. 말로만 들었는데 진짜 존재하는구나! 라는 생각과 왜 무지개 모양이 있지? 라는 생각을 잠깐 했던 것 외에는 그저 수업 시간에 늦지 않기 위해 스치듯 지나가며 본 게 전부일 뿐이었다. 그리고 다음 날, 원래도 생명은 없었겠지만 새카맣게 불타 영혼마저 말라 죽어버린 듯한 인형은 학생회관 2층에 대롱대롱 목을 매달고 있었고 가슴에는 17세기 미국 청교도가 붙인 주홍글씨처럼 '동성애는 죄악이다'라는 문구가 소름 끼치도록 길게 늘어져 있었다.

어느 단체에도 소속되어있지 않았지만, 그 장면은 분명 잔인했다. 생각과 의견이 다르다고 해서 상대방을 해할 권리가 생기는 것은 아니다. 누가 맞고 틀리고의 문제가 아니다. 다양성을 존중하는 모습은 지성인의 기본 태도라고 생각했던 나의 믿음이 처절하게 무너져내린 기분이었다.

그때부터였을까. 이리 가라고 하면 저리 가보고 싶어지는 마음 속에 잠시 쉬고 있던 청개구리가 까꿍 나와버렸다. 영화 시나리오를 쓰는 수업 시간에 동성애에 관한 내용을 담은 시놉시스를 발표했다. 일반적으로 사람들이 생각하는 동성애자는 항상 원인이 있다고 생각하는 게 싫었다. 암에 걸리면 항암치료를 받아야 하고 녹슨 못에 상처를 입은 사람은 파상풍 주사를 맞아야 할 거 같은 당연하게 따라오는 생각처럼 말이다. 동성애자는 분명 어릴 때 성적 학대를 받았거나 온전한 부모 밑에서 자라지 못했다는 식의 원인과 결과를 찾는 생각 자체가 이해가 되지 않았다. 정확한 근거나 자료도 없이 편향된 견해로 특정 사람들을 정의내릴 수는 없는 것이다. 그래서 매우 평범한 가정에서 특별할 것이라고는 찾아볼 수 없이 자란 남자 고등학생이 같은 학교 남자 선생님을 좋아하는 내용을 담았다. 물론 그 안에서 다른 인물들과의 갈등과 이런저런 사건·사고를 넣어 흥미로운 이야기로 만들었지만, 시나리오를 통해 전달하고자 하는 내용은 분명했다. 누구나 동성애자일 수 있으며 그것은 특별하거나 좋지 않은 환경으로 만들어진 것이 아닌 얼굴의 생김새나 키의 크기, 점의 위치처럼 그냥 자연스러운 것일 뿐이라고 말하고 싶었다.

하지만 교수님과 학우들의 생각은 달랐다. 꽤 유명했던 PD 출신의 교수님은 팔짱을 끼고는 잔뜩 비꼬는 말투로 이렇게 말했다. "그러니까 왜 주인공이 동성애자인가에 대한 설명이 없잖아. 그럼 보는 사람들 입장에서는 이해가 안 되지 않겠니? 넌 너무 불친절한 영화를 만들려고 한다."

바로 그거라고요. 설명이 없어도 되는 영화. 그걸 만들고 싶은 거라니까요. 서로 평가를 나누는 학우들의 의견 중 영화 내용의

짜임새나 제목, 개연성을 이야기하는 사람은 없었다. 왜 굳이 저런 불편한 내용을 영화로 만들어야 하는가에 대한 뾰족한 시선과 따가운 말투만 교실을 건조하게 할 뿐이었다.

*

연극 활동을 하면서 만난 한 친구가 같이 영화를 만들어보자고 제안했다. 영화 모임을 만들려는 친구도 나도 직업이 있는 일반인이었고 만들려고 하는 영화 모임도 지극히 일반인들의 시선에서 부담 없이 만드는 B급 영화라고 자칭했다. 오랜만에 설렜다. 기본적인 장비가 없어도 괜찮았다. 세계적인 감독도 핸드폰으로 영화를 찍는 요즘인데 장비 탓은 좀 비겁하다. 아이디어로 승부하기로 했다. 고등학교 때부터 온라인 모임을 종종 나가본 편이라 처음 보는 사람들의 어색함이 오히려 기분 좋았다. 저런 직업을 가진 사람이 이런 모임에 온다고? 이런 성격에 그런 시나리오를 생각했다고? 쉴 틈 없이 머릿속의 편견을 깨부수는 그들의 생경함에 두근거렸다. 이런 비정상적인 사람들 사이에선 나도 정상처럼 보일 수 있겠구나! 그 수업 이후로 누구에게도 말하지 않았던 시나리오를 여기서라면 다시 시도해볼 수 있겠다!

결론부터 이야기하자면 그건 나의 첫 모임이자 마지막 모임이 되었다. 시나리오를 구체적인 부분은 시작하지도 않았고 대략적인 내용을 읊었을 뿐인데 예상보다 무식한 만큼 센 공격에 정말 오랜만에 멱살을 잡을 정도의 화가 났다. '그건 어딘가 잘못된 사람들의 이야기잖아요. 그러면 이혼한 한부모 가정이라던가 가정 폭력이 있는 집에서 자랐다든가 하는 복선이 있어야죠.' 좋은 동네에서 한의원을 하며 평범한 가정을 꾸리고 있다는 한의사 아주머니께서 말씀하셨다. 뭐 이 정도쯤은 20년 전에도 들어본 말이기에 전혀 데미지를 입지 않았다.

하지만 이 사람의 말과 태도와 눈빛은 좀 달랐다. "언제부터예요? 본인의 정체성을 깨달은 게? 그런 얘기를 그렇게 아무렇지도 않게 다른 사람들한테 할 수 있는 이유가 뭐예요? 혹시 여중 여고 여대 뭐 그런 케이스면 확률이 높아지는 건가?" 이성의 줄이 툭 하고 끊기는 소리가 들렸다. 굳이 그렇게까지 참고 싶지 않았지만, 그 순간 있는 그대로 그냥 들이 받아버리고 싶을 만큼의 인간이었지만 영화는 찍고 싶었기에 부들부들 끊어진 끈을 다시 집어 들어 매듭으로라도 연결하려고 했다.

'나는 당신에게 나의 정체성을 말한 적이 없습니다. 설마 그럴 리는 없다라고 믿고 싶지만, 당신이 말하는 정체성이라는 게 성적 지향성을 뜻하는 것이라면 그건 굉장한 실례임이 분명합니다. 다들 궁금해하는 것 같아 미리 말해두자면, 나는 이성애자입니다. 하지만 이성애자가 말하는 동성애자의 권리는 동성애자가 말하는 권리와 또 다른 힘과 이야기가 될 수 있다고 생각합니다. 사람 대 사람으로 말입니다. 만약 당신의 섣부르고 예의 없는 추측대로 내가 동성애자였다면 당신은 지금 나를 굉장히 폭력적인 방법으로 아웃팅을 한 것입니다. 영화라는 주제로 모인 모임입니다. 함부로 서로를 재단하거나 피해를 주지 않는 선에서 원하는 것을 했으면 하는 바람입니다.'

뭐 그 뒷이야기는 딱히 이야기하지 않아도 다들 예상하는 만큼의 수준이었다. 동성애자가 아닌데 왜 동성애자인 척하느냐 그럼 혹시 트렌스젠더냐 본인이 생각하기엔 내가 더 폭력적이다. 본인이 나이도 더 많은 것 같은데 존댓말 써가면서 물어봤더니 뭐가 예의가 없다는 거냐 너 밖으로 나와라 등등의 초등학생들도 안 할 법한 유치 하다못해 듣고 있는 사람이 더 창피해지는 의미 없는 소음의 연속. 실제로 나는 나가려고 일어났었다. 말로 싸워도 몸으로 싸워도 이길 자신이 있었기 때문이었다. 사람을 겉모습으로만 판단하면 안 되는 거지만 나보다 왜소하고 키가 작은 그 남자는 당시 나의 분노 게이지 정도라면 세 번 정도는 길거리에 패대기칠 수 있을 것 같았다.

다름을 이해하고 받아들이는 것이 우주가 존재하는 이유라 믿는 나지만 굳이 이런 재활용도 되지 않는 쓰레기까지 받아들이는 건 에너지 낭비라 생각하여 더는 그 모임에 나가지 않았다. 듣기로는 그 영화 모임도 오래되지 않아 와해 되었다고 한다.

그리고 보면 난 빌런이 아니라 천사일지도 모르겠다. 무지개와 함께 짜잔 하고 나타나는 천사 말이다. 무지개 깃발은 생명, 치유, 햇빛, 자연 등의 의미를 담은 성소수자(LGBTQ) 커뮤니티를 대표하는 상징이다.

19. 빌런도 글로벌하게

　처음부터 뭔가 대단한 계획을 세웠던 건 아니다. 고단하고 처절했던 고등학생 신분을 벗어나 드디어 자유의 대학생이 되었는데 남들 다 가본다는 배낭여행이나 한번 가볼까. 시작은 아주 단순한 이유였다. 어릴 때부터 차곡차곡 용돈을 모은 통장엔 이백만원 남짓한 돈이 뿌듯하게 담겨 있었고 유럽 여행은 그 돈을 후회 없이 알차게 한 번에 써버릴 기회였다. 큰 고민 없이 비행기 표를 끊었다. 그리고는 잊고 있었다. 덩그러니 종이만 주는 대학 시험에 서로 시간 맞추는 게 과제를 하는 시간보다 어려운 팀 과제에 대학생의 매일은 빠르게 흘러갔다. 그러다 덜컥 출국 날짜가 다가왔다. 이게 과연 잘한 짓인가 겁이 났다. 제주도 한번 가본 적이 없는데 그 높은 고도에서 12시간을 견뎌낼 수 있을까. 독어도 불어도 심지어 영어도 제대로 못 하는데 과연 그 머나먼 타지에서 혼자 먹고 자고 살아서 돌아올 수 있을까. 걱정은 차곡차곡 쌓여갔지만 그렇다고 당장 이렇다 할 준비를 할 수 있는 것도 아니었다. 결국, 혼자 인천공항에 덜렁 떨어지고야 말았다. 처음 먹는 기내식의 어이없는 양에 당황하며 비행기 화장실의 물 내리는 소리에 소스라치게 놀라고 좁디좁은 좌석에 낑낑거리며 쪽잠을 청했다.

런던 히드로 공항. 영국의 대영박물관을 보며 참 많이도 훔쳐 모았다는 생각과 오스트리아 비엔나커피를 마시고는 밤을 새웠다. 평소 커피를 안 마시지만 언제 또 이런 유명한 커피를 마셔보겠나 해서 시도한 도전은 충분히 의미있게 맛있었다. 독일의 소시지는 반찬으로 나오는 날엔 제일 먼저 사라지던 분홍 소시지와는 완전히 다른 맛이었고 우연히 월드컵에서 우리나라가 승리를 거둔 날에 뮌헨에 있던 나는 커다란 광장에서 진한 독일 맥주에 거나하게 취한 한국 배낭여행객들과 함께 원을 그리고 어깨동무를 한 채 아리랑을 불러 재꼈다. 체코 프라하는 여행이 아닌 살고 싶을 만큼 평화롭고 아름답고 고풍스러운 도시였다. 날씨가 도와주지 않아 융프라우 꼭대기에서 컵라면은 먹지 못했지만, 스위스의 인터라켄은 추위라면 질색하던 나에게도 따뜻한 나라로 기억된다. 날씨는 추웠지만, 그 나라에서 만난 친절한 미소를 가진 사람들이 베푸는 배려는 충분히 포근했다. 콜로세움의 웅장함과 트레비 분수 그리고 영화 <로마의 휴일>에 나오는 진실의 입을 낭만으로 느끼기엔 살인적인 더위에 눈앞이 흐려진 기억밖에 없는 이탈리아. 그래도 베네치아에서 곤돌라를 타며 들은 곤돌리에의 노래는 잠시라도 이국적인 매력을 느끼게 해주었다. 낭만과 예술을 대표하는 기대되고 설렜던 프랑스는 왜 하이힐이 발명되었는지 실감이 날 만큼 지하철의 악취와 관리되지 않은 쓰레기로 안타까움을 자아냈다. 에펠탑의 노을을 보기 위해 비싼 택시를 처음 탔는데 10분을 기사 아저씨와 서로 답답해하며 도대체 어디를 얘기하는 거냐고 실랑이가 벌어졌다. 유심이나 로밍 없이 지도를 출력해서 여행하던 시절이라 번역기는 물론이고 주소는 알 턱이 없었다. 에펠 타워를 모르는 파리 택시기사가 도대체 어디 있단 말인가. 손짓, 발짓으로 땀이 줄줄 나도록 온갖 설명을 한 결과 허무하게도 기사 아저씨가 원하던 답은 아이플 타워였다. 프랑스에선 에펠 타워라고 하면 절대 아무도 알아듣지 못한다. 잊지 못할 거야 아이플 타워. 누드 비치가 있다던 니스에는 정말 떨리는 마음으로 갔다. 나도 같이 벗어야 이상하게 보지 않을 거라는 누군가에게 들은 말에 엄청난 긴장감과 부담감이 몰려왔다. 수영복을 준비해가지 못했던 나는 속옷이라도 입어야 하나 고민하며 입구에 들어섰지만, 윗도리를 벗은 할머니들만 몇 분만 계실 뿐 소문처럼 젊음과 환락의 도시는 아니었다. 오히려 누드 비치에서 뭔가를 기대하던 시간이 훌쩍 남아버려 시간을 때우기 위해 별 생각 없이 간 샤갈 미술관과 마티스 미술관이 훨씬 멋진 기억으로 남아있다. 덕분에 사람이 너무 많아 갈까 말까 고민했던 루브르 박물관도 가게 되었고 그림과 예술의 매력에 대해서 공부를 시작한 계기가 되었다.

그렇게 나의 첫 여행은 시작되었고 대학교를 졸업하기 전 스물여섯 개의 나라를 떠돌아다녔다. 우연히도 대학교를 졸업하던 나의 나이와 같은 숫자였다. 내가 살아온 해만큼 한나라씩 여행하는 기분이었다.

*

일본 도쿄 대학에서는 대한민국 대학생의 멋이 뭔지를 보여주마! 라는 각오로 챙겨간 바퀴가 달린 운동화 힐리스를 타다가 언덕에서 끝없이 굴러떨어졌다. 느낌에는 정말 고도 2749.2 미터의 백두산 장군봉에서 구르는 줄 알았다. 지금 생각해도 아찔하다. 아프고 말고의 문제가 아니었다. 일본어를 몰라도 다 들리는 듯했다. '쟤 죽었나 봐.', '아닌가. 그냥 쪽팔려서 못 일어나는 건가?' 차라리 기절하고 싶었다. 절대 한국 사람인 걸 티 내면 안 되었지만, 가방에 꼼꼼하게 꿰매 놓은 태극기는 어떻게 설명할 것인가. 조금 더 엎어져 있다가는 누가 119라도 부를 기세라 아픈지도 모르고 벌떡 일어났다. 100m 달리기를 귀 옆에 바람이 쌩쌩 지나가게 달려도 겨우 21초로 달리는 나였지만 그 순간만큼은 우사인 볼트 못지않은 속도였을 것이라 장담한다. 일본 여행을 하는 두 달 내내 무릎에 생긴 상처에서는 진물이 났고 그 상처는 지금 봐도 귀가 새빨개질 정도의 창피함을 남겼다.

인도에서는 태어나 처음으로 청혼을 받기도 했다. 액세서리를 파는 가게 점원이었는데 파키스탄에서 온 청년이었다. 김태희는 태어날 때부터 본인과 결혼할 운명이었다면서 한국에 가더라도 영원히 자기를 잊지 못하고 다시 자기를 만나러 인도로 돌아올 거란다. 진한 눈썹에 두꺼운 쌍꺼풀이 인상적이었다. 그 현란한 말솜씨로 현혹해서 씌운 바가지 덕분에 그의 말대로 지금도 난 그를 잊지 못하고 있다. 그 가게에서 산 귀걸이와 팔찌는 자신의 진정한 사랑이 담겨 있으니 영원히 지니고 있으라더니 왜 돈은 내가 내는 건데? 그 사랑이 너무 지독했는지 점점 검게 변하던 그 액세서리들은 쇳독을 일으켜서 알러지로 손가락과 손목 그리고 목까지 변해버린 살들이 다시 돌아올 때까지 일 년은 피부과에 다닌 것 같다. 그러고 보니 그렇게 오랜 시간이 지났는데도 기억이 나는 걸 보면 인연은 인연이었나 보다. 인도의 사막을 여행할 때는 온종일 낙타를 타느라 바짓가랑이가 다 찢어져도 끝없이 펼쳐진 모래 언덕에 기분이 묘했다. 어린 왕자에 나오는 사하라 사막에 불시착한 조종사가 된 기분이었고 사막의 밤하늘에서 본 별은 까만 우주보다 더 빛났다. 타지마할의 곡선은 아름다운 순백의 대리석과 노을은 자신이 사랑했던 여왕 뭄타즈 마할을 추모해서 만든 샤 자한의 마음을 영원히 느끼게끔 해놓은 것 같았다.

하지만 다시 인도에 가고 싶지는 않다. 외국 여자들을 향한 특히 동양 여자들을 대하는 일부 사람들의 부담스럽고 불쾌한 관심 그리고 당신은 우리보다 돈이 많으니 당연히 돈을 더 내야 한다는 식의 사고로 10배는 기본이요 20배, 30배까지 가격을 부풀리는 관광객에 대한 일부 불평등한 경제시장은 쉽사리 받아들이기 힘들었다. 물론 돈을 더 가진 사람이, 더 가진 나라가 도움을 주고 시소와 같은 교류의 흐름을 타는 것은 자연스러운 순환의 이치이다. 하지만 주는 것과 뺏기는 것은 다르다.

다른 나라를 여행한다는 것은 단순히 유명한 명소 앞에서 기념사진을 찍거나 그 나라 음식을 먹어보는 것에서 끝나는 것이 아니라 그들의 역사와 눈빛과 어떠한 문제를 맞닥뜨렸을 때 생각하고 궁리하는 방법이나 태도를 이해하는 것이라 생각한다. 그렇다고 모두에게 똑같이 적용되는 기억은 아님이 분명하다. 누구와 그리고 어떠한 경험으로 기억을 지녔느냐가 그 나라에 대한 이미지와 또다시 가고 싶은 마음을 결정할 테니 말이다.

여행의 막바지에 돈이 모자라 정말 열악한 환경을 가진 숙소에서 지냈던 뉴질랜드. 6명이 한방을 쓰는 도미토리 식의 숙소였고 같은 방을 쓰는 몇몇 여행자들은 정말 씻지를 않았다. 데오드란트는 눈이 시릴 정도로 많이 뿌리면서 일주일 동안 머리 한번 감는 걸 못 봤다. 나 역시 여러 나라를 여행하며 적지 않은 인종 차별을 경험해본터라 함부로 다른 사람에게 그러한 표현을 하지 않고 참고 넘겼다. 하지만 다음 날 방을 바꿔 달라고 하지 않은 걸 백번 후회했다. 분명 잠에서 깨어 의식은 돌아온 것 같은데 눈이 떠지지 않고 온몸이 움직이지 않았다. 꾸역꾸역 손으로 들어 올린 눈꺼풀 사이로 거울을 본 내 모습은 사람의 모습이 아니었다. 머리부터 발끝까지 빈대에 물려 손가락을 아무리 벌려도 사이사이가 닿을 정도로 온몸이 부어 있었다. 발바닥은 빵빵하게 부풀어 오른 풍선처럼 발바닥 전체가 바닥에 닿지도 않았다. 눈꺼풀과 입술도 전부 빈대에 물려 3일은 지난 어묵국처럼 퉁퉁 불어 있었다. 약을 구하고 다시 제대로 된 숙소를 얻고 죽을 구해 먹느라 남은 비상금을 탈탈 털어야만 했다. 그 돈은 한국으로 돌아가 당장 한 달 뒤인 언니의 결혼 선물을 위한 돈이었다. 뉴질랜드에서 유명하다는 양털 이불과 털부츠는 이번 생애에는 못 보는 건가. 나부터 살고 보자. 언니 미안.

여행하면서 이제까지는 느껴본 적이 없던 감정에 휩싸여 꽤 마음고생을 한 적도 있었다. 빈부 격차가 심한 나라였는데 이동 수

단이 마땅치가 않아 며칠을 걷는 속도 정도로 기어가는 기차를 타며 이동을 해야만 했다. 어느 날 기차 복도 안에서 갑자기 네다섯 살 정도로 보이는 아이가 내 앞에서 고꾸라지며 넘어졌다. 난 깜짝 놀라 괜찮냐며 아이를 일으켰고 그 아이가 '드디어 걸려들었구나!'라는 똘망똘망한 눈망울로 나에게 했던 말에 나는 희망이라는 단어을 잃었다. 본인이 재주를 보여주었으니 그만큼의 돈을 지불해야한다는 것이 그 아이의 지론이었다. 어이가 없다 못해 슬펐고, 슬프다 못해 이 어린아이를 이렇게 길거리로 내몬 세상에 화가 났다. 눈물이 꽉꽉 차올랐지만 절대 흘리지 않았다. 그 아이의 자존심까지 상하게 하고 싶지는 않았기 때문이다. 그렇다고 돈을 줄 수도 없었다. 나에게 돈이 많고 적고의 문제가 아니었다. 그러한 방식으로 돈을 벌 수 있다는 경험을 하게 해주면 그 아이는 평생 거리에서 살 수밖에 없을 테고 그 아이가 얼마를 받을 것인가 '뚫어져라' 쳐다보던 주변의 다른 아이들도 그렇게 될 것이기 때문이다. 가슴이 아프고 화도 났지만 내가 할 수 있는 것은 없었다. 한국에 와서 길거리 모금과 후원을 시작한 건 그 아이를 본 이후부터였다.

민망하고 잊고 싶은 기억만 있는 건 결코 아니다. 덕분에 여행하면서 다시는 잘 타지도 못하는 겉멋으로 가지고 다니던 힐리스를 정리하게 되었고 marry의 m 자만 나와도 그 가게에서는 아무것도 사지 않았으며 꼭 필요한 경우에는 신혼여행 중인 유부녀라고 나를 소개했다. 아무리 돈이 없어도 숙소는 깨끗한 곳으로 잡고 음식도 배탈이 나지 않을 정도의 청결한 식당을 찾아갔다. 여행은 순진하기도 하고 때론 어리석기도 했던 나를 무엇이 더 중요하고 길게 보았을 때 무엇이 옳은 것인지 한 단계 발전시켜 주었다.

라오스의 방비엥에 있는 에메랄드 샘물, 블루 라군은 평생 잊지 못할 장소 중 하나이다. 수심 3m의 천연 수영장과 나무로 된 다이빙대가 있는데 당시 그곳의 유일한 동양인이었던 나에게 'jump! jump!'를 외치며 응원해주던 서양 친구들의 적극적인 친근감이 좋았다. 아무도 대놓고 이야기는 하지 않지만 44 사이즈에게만 비키니가 허락된 우리나라와는 달리 남의 눈치 따위는 보지 않고 각자가 편한 대로 자유롭게 뱃살을 출렁거리며 옷을 입는 그들의 문화도 좋았다. 시크릿 라군이라고 불리는 곳은 동굴에서 흘러나오는 푸른 물결을 만나볼 수 있는 곳인데 맨몸으로 느껴보는 자연의 물속은 태아 시절의 느낌마저 살아나게 하는 것 같았다. 자연 속에서 이러한 편안함과 살아있음을 느낄 수도 있구나. 처음 느낀 지구의 아름다움이었다.

*

전기와 수도 시설이 전혀 없는 어느 산속에서 만난 한국인 부부는 나에게 죽을 때까지 잊지 못할 말을 해주기도 했다. 워낙 외지고 인적이 드문 곳이다 보니 여행객은 많지 않았고 여행객 중 동양인은 그 부부와 내가 전부였다. 사실 처음엔 서로 특별한 대화를 하지 않았다. 하지만 시간이 흐르면서 점점 모두가 심심해지기 시작했다. 전기가 없으니 해가 뜨면 일어나고 밤에는 촛불을 켰다. 수도가 없으니 계곡에서 몸을 씻고 나뭇잎에서 떨어지는 이

슬로 이를 닦았다. 사실 이를 닦았다기보단 그냥 이에 물을 묻히는 정도의 자기 합리화랄까. 몇 명 안되는 여행객들은 할 일이 없어 저녁이 되면 자연스럽게 동네 공터에 낮은 식탁으로 모였다.

그곳에서 다양한 나라의 차이와 공통점에 관해서 이야기하였다. 서양은 왜 결혼을 하면 여자가 성을 바꾸고 이혼을 하면 아이는 주로 누가 키우는지. 유교 사상은 왜 많은 동양의 나라에 영향을 미쳤고 한국은 왜 여전히 통일하지 않고 휴전 중인 것인지. 한국의 나이는 왜 서양보다 더 많이 먹는 것이고 나는 왜 다른 한국인들처럼 카디건을 어깨에 묶고 선글라스를 머리 위로 올리지 않는 것인지 등등. 모자란 영어 실력이 답답했다.

우리나라는 배 속에 있는 10달도 나이를 먹은 것으로 쳐서 나이가 서양인들보다 기본적으로 한 살 많은 것에 대해 그리고 1월 1일에 모두 떡국 한 그릇씩을 먹고 생일과 상관없이 한 살씩을 더 먹으며 한국에서는 이혼하면 대부분 엄마가 키우는 서양과는 다르게 아버지 족보에 이름이 올라가기 때문에 아버지의 자식이라는 개념이 크다는 것. (물론 지금의 한국은 20여 년 전의 한국과 많이 달라졌다) 그리고 내가 전형적인 한국인처럼 보이지 않은 이유는, 같은 것이 옳고 다른 것이 잘못되었다고 생각하는 틀이 싫었고 다름과 틀림을 구분하지 않는 문화가 혐오스러웠으며 나를 고정된 틀에 욱여넣으려고 했다가 안 되었을 때 손가락질을 하던 사람들이 미워서 그럴지도 모른다. 라고 영어로 이야기할 수 있었다면 얼마나 좋았을까.

헬로우~ 아임 파인 땡큐. 앤쥬? 를 배운 교과서 영어 실력으로 실제 대화에서 이야기할 수 있는 우리나라의 역사와 문화는 너무나 큰 차이가 있었다. 그래도 어떻게든 아는 모든 단어를 동원해 가면서 그들에게 열심히 설명했다. 그러면서 그들과는 작은 농담과 눈짓에도 서로 격 없이 웃을 수 있는 사이가 되었고 헤어질 때는 그곳에서 만난 외국인 친구들과 서로에게 긴 편지를 써주었다. 그 모습을 보고 유독 과묵했던 한국인 부부가 나에게 말을 걸었다. '태희 씨 같은 딸을 낳고 싶어요.'가 그들의 첫마디였다.

놀랐다. 내가 현지 옷을 입고 까맣게 그을린 채로 서양 친구들과 서로 머리를 땋아주며 노는 모습이 점잖지 못하다고 생각해서 나를 멀리하는 줄 알았다. 사실 그분들은 한국의 초등학교 선생님들이었다. 방학 기간을 이용해 둘만의 신혼 배낭여행을 처음으로 도전한 것인데 생각보다 새로운 사람과 문화를 접하는 것이 두렵고 낯선 것을 받아들이는 것이 어색해서 비행기 표를 바꿔 계획보다 일찍 한국에 돌아가려던 참이었다고 한다. 그런데 본인들보다 영어를 잘하는 것도 아니고 돈이 여유가 있어 보이지도 않는데 현지 문화에 스며들 듯 적응해 우리나라에 대해 애를 쓰며 이야기하는 모습과 타인에게 선을 긋지 않고 스스럼없이 대하는 모습이 예뻤다고 한다. 내 입으로 말하면서도 민망해 지금도 콧구멍이 벌렁거리지만, 실제 그렇게 표현하셨다. 예쁘다고. 자신들은 겁이 많은데 어린 나를 보고 많이 배웠다며 다시 항공권을 바꾸지 않기로 마음먹으셨다고 했다. 한국에 가면 아기를 가질 계획인데 태희 씨 같은 멋진 딸이었으면 좋겠다는 대화를 두 분이 한마음으로 같이 나눴다고 하셨다.

태어나서 김태희 같은 딸을 낳는다는 말은 두 번째로 들어본다. 엄마가 내 방을 보시면서 '어휴~ 이게 사람 방이니 돼지우리니? 딱 너 같은 딸 낳아서 키워봐라!'라는 첫 번째로 들었던 말과는 결이 많이 다르다. 같은 문장 다른 느낌이었다. 뭐라고 대답해야 할지 모를 정도로 복잡한 감정이 들었다. 놀란 표정으로 그저 감사하다는 인사를 꾸벅하며 '비행기 티켓 바꾸지 마시고 꼭 즐겁게 여행 마치세요.'라고 대답하는 것 외에는 다른 말을 찾지 못했다. 그때 드리지 못한 답장을 여기에 써야겠다.

[저는 두 분이 생각하시는 것만큼 특별한 사람도 멋지거나 착한 사람도 아니랍니다. 하지만 그렇게 말씀해주시니 너무 벅차기도 하고 더 좋은 사람이 되어야겠다는 마음도 듭니다. 넌 참 이상해. 라는 말을 많이 들으면서 살았는데 저 같은 딸을 갖고 싶으시다는 말이 훨씬 듣기 좋네요. 저와 같은 딸과 함께 살아가실 앞으로의 삶이 왠지 쉽지는 않으실 것 같지만 그래도 더 좋은 선생님과 부모님이 되어주실 수 있을 것 같다는 확신은 듭니다. 그 말씀을 후회하시지 않도록 더 열심히 살아야 할 것 같기도 하고 많이 감사하기도 하고 그렇습니다. 아니, 더 열심히 살기보다는 더 저답게 살도록 하겠습니다. 행복하시길 바라겠습니다. 진심으로.]

20. 냄새와 향기의 차이

    냄새에 집착하게 된 건 고등학교 때부터였던 것 같다. 차갑다 못해 피부가 아플 정도로 한기가 매서운 겨울의 어느 날이었는데 보통 그런 날씨엔 공기도 얼어 붙는건지 다른 날보다 냄새가 거의 나지 않는다. 그런데 태어나서 처음 맡아보는 매캐한 냄새가 하루종일 코 주변을 싸하게 맴돌았다. 교실에서도 잠깐 스치듯 났다가 밖으로 나오면 괜찮아지고 독서실에 뜨끈한 공기에서 또다시 났다가 집으로 가는 길에는 안나고. 주변 사람들에게 물어봐도 잘 모르겠다는 반응이라 내 코에 뭐가 묻은 건가 연신 나올 것도 없는 건조한 코만 자꾸 풀었다. 집에 오면 더는 안나겠지 하는 생각으로 외투를 벗어 혹시 개통이라도 묻은건가 싶어 코트를 높이 집어 들었는데. 와 제대로 코를 톡하니 찌른다.

    맙소사. 범인은 나였다. 코트에 뭐가 묻었던 게 아니라 겨드랑이에 호르몬이 줄줄 묻어나고 있던 거였다. 얇은 면으로 된 티는 추위를 많이 타는 나에겐 두겹을 입어도 모자라 두꺼운 나일론 실로 된 폴라넥 니트를 입은 게 문제였다. 중학교 때까지 160 초반이었던 키가 고등학교 때 160 후반까지 자라면서 한창 호르몬 분비가 왕성했고 이제와서 3차 성징이라도 나타나는 건지 몸에서 나는 냄새와 폴리에스테르의 만남은 극강의 악취를 가져다준 것이었다. 내가 날개를 피면 냄새가 나고 닫으면 안나고 주변 사람들은 못맡고 나는 맡고. 다 이유가 있었던 것이었다. 사람 몸에서 이런 냄새가 날 수 있다는 걸 처음 알고 적지않은 충격을 받았다.

그 이후로는 진짜 개코처럼 냄새에 민감하게 되었다. 아무리 추운 한옥집이라도 바깥에 화장실이 있더라도 샤워는 무조건 매일 했다. 다시는 맡고 싶지 않았다. 인정하기 싫었다. 그 지독하게 잊을 수 없는 고개를 45도 각도로 내리면 스멀스멀 올라오던 톡 쏘는 냄새.

같은 학년에 암내가 엄청 심한 아이가 있었는데 여름이면 그 아이가 복도만 지나가도 교실 안에 있던 애들이 '야! 방금 걔 지나갔지?! 어후~ 바깥 창문 열어 얼른!!' 할 정도였다. 전교생이 다 아는데 그 아이는 모르는 걸까 아니면 모르는 척을 할 수 밖에 없었던 걸까. 직접적으로 말해주기엔 우린 여드름 하나에도 민감한 사춘기 여고생들이었다.

반대로 좋은 냄새에 눈을 뜨는 계기도 되었다. 누군가 지나갈 때 은근히 그 사람의 체취를 맡는 버릇같은 게 생겼는데 보통은 무취이거나 일반적인 사람 냄새 가끔은 보송보송한 섬유유연제 냄새가 온몸을 휘감은 것 같은 친구들이 있다. 그 향기가 정말 진해서 친구 엄마가 친구를 인형처럼 들어다가 섬유유연제에 담궜다가 바로 빨래집게로 널어 말린 것 같은 착각마저 들기도 했다. 그 향기 하나만으로 쟤는 행복한 가정에서 따뜻한 사랑받으며 크고 있구나 하는 착각에 빠졌다. 나도 그런 아이로 보이고 싶은 마음에 교복을 세탁기에 넣고 유연제 한 통을 다 부은 적도 있다. 그런데 신기하게도 나에겐 그런 냄새가 나지 않는 것 같았다. 누군가의 사랑과 정성으로 뿌려줘야만 효과가 있는 건가.

대학생이 되고 처음으로 면세점이라는 곳에 갔는데 맨처음 고른 게 향수였다. 평소에는 짠순이였던 내가 아끼지 않고 쓰는 것이 있었는데 바로 향수였다. 나의 감정이나 생각 따위를 읽히지 않고 항상 고급지게 기분 좋아보일 듯한 향기가 참 편리한 가면이 되었다. 몇년을 그렇게 쓰다보니 다른 사람과 같은 향이 나는 게 싫어서 내 마음대로 레이어드를 하기 시작했다. 전문 조향사는 아니지만 그저 내 취향대로 기분따라 섞어 뿌리면 나름 만족스러운 새로운 향이 되었다. 그랬더니 버스를 기다리는데 옆에 있던 처음보는 젊은 여자분이 실례지만 어떤 향수를 쓰냐고 물어보는 경우 생겼고 지하철 옆좌석에 명품백을 들고 앉아 계시던 아주머니께서 굳이 이어폰을 빼보라고 하시며 아가씨가 뿌린 향수 이름이 뭐냐고 묻는 경우도 있었다.

언젠가부터 좋아하는 사람한테는 향수를 선물했다. 그 사람이 향수를 뿌릴 때마다 내 생각이 날 것이고 나 역시 향으로 그 사람을 기억할 수 있기에 이보다 더 좋은 선물은 없었다. 물론 그놈의 향 때문에 운 적도 있다. 길 가다가 우연히 누군가의 향기가 나서 눈물이 난 것도 아니고 그 사람을 만났던 날 내가 뿌린 향수에 혼자 울었던 거다. 누가 볼까 놀이터에서 혼자 숨어서.

그다지 좋지 못한 습관도 생겼는데 그건 숨을 참는 거다. 그 사람에게서 무슨 향기가 나건 상관이 없다. 아무리 비싸고 고급진 향수를 뿌렸어도 어떤 사람이 싫으면 그 사람이 지나갈 때 숨을 참는다. 잔향이 다 사라질 때까지 숨을 참는다. 그렇다고 코를 부여잡으며 인상을 찡그리기까지 하는 건 아니니 어떤 때에 누가 지나갈 때 숨을 참는 지는 나만의 비밀로 해둔다.

낯선 곳에 여행을 갈 때 꼭 챙기는 것 중 하나가 향수다. 원래 내 방이 아닌 곳에서 자려면 불안하고 불편한 마음에 잠을 못자는 경우가 많은데 그럴 때 내 코에 내 몸이 기억하는 익숙한 향을 맡고 나면 조금이라도 마음의 안정이 찾아온다.

요즘엔 예전만큼 향수를 많이 뿌리지는 않는다. 이제는 화려하고 진한 향보다는 그냥 자연스러운 나의 냄새가 났으면 하기 때문이다. 아기한테 나는 살냄새처럼, 건조기에서 쭈글쭈글 마른 옷보다는 베란다에서 바삭하게 마른 햇볕 냄새처럼 말이다.

21. 카페인보다 더 해로운 상사

　난 커피를 못마신다. 카페인 과민증이라고 해서 카페인이 몸 안에서 분해가 잘 되지 않아 각성 효과가 오래가며 심장박동이 빠르게 뛰고 긴장과 함께 불안이 찾아오는 민감한 반응을 보이기 때문이다. 성인 기준으로 하루 아메리카노 2잔 정도는 마셔도 된다는 최대섭취권고량이 있는데 피곤하거나 컨디션이 좋지 않은 날이면 카페인이 비교적 적게 들어간 콜라나 초콜릿만 먹어도 그러한 증상이 나타난다. 그런 나한테 커피를 억지로 마시게 하는 인간들이 있었으니 소위 직장에 한 명씩은 다 있다는 또라이 상사들이었다. '야 유난떨지 말고 아메리카노로 통일해.' 중국집에 가면 무조건 짜장면을 먹어야 하는 거랑 비슷한 거다.

　첫 사회 생활을 시작한 회사에서 합병을 하면서 우리 팀에 팀장이 새로 왔다. 누가 봐도 친구 한명 없게 생긴 인상에 대화 도중에 담배 연기를 상대방 얼굴에 뿜어대는 건 기본이고 입에는 걸레를 물고 태어났는지 상스러운 욕이 안들어가는 문장이 거의 없을 정도였다.

본인 환영회식을 한다고 다들 고깃집에 모여 기분좋게 한 잔씩 하고 있는데 갑자기 다리를 꼬고 담배를 물더니 "하 기분이 XX 같네" 라는 말을 다 들리게 하는거다. XX은 명백한 욕이었다. 비유나 은유도 아니고 그냥 욕 그 자체. 그 때는 음식점에서 담배를 피워도 되던 시절이었다. 갑자기 왜 저러는 건지 이유를 알 길이 없어 일순간 분위기는 얼음장이 되었고 다들 잔도 내려놓고 입을 다물었다. 그러다 그나마 옆에서 살랑대는 과장 한명이 누가 봐도 어거지로 '아이~ 팀장님 왜 그러세용~' 하고 어울리지도 않는 애교를 부리자 본인 앞에 있던 잔을 쇠로 된 테이블에 탁 내려치면서 '내 잔 비었잖아. 이것들아!' 하면서 바닥에 침을 퉤 뱉는거다.

우와~ 아무리 내가 사회 생활 처음 해보는 거라지만 저런 사람이 진짜 회사라는 조직에 속할 수 있다고? 능력이 얼마나 대단하길래 오랫동안 회사생활을 해서 팀장까지 할 수 있는건데? 아양을 부리던 과장이 그때부터 옆에서 전담 마크를 하며 술잔에 담뱃불에 무슨 돌쟁이 아기 다루는 것마냥 일일히 시중을 들어주니 그제야 기분이 좀 풀렸는지 2차로 노래방을 가자고 했다. 이미 10시가 넘은 상황이라 경기도에 사는 파트장과 신혼인 동기는 가보겠다고 인사를 하는데 팀장은 우선 노래방에 들어가서 얘기하자고 했다. 모두 방에 들어온 것을 확인하더니 팀장은 갑자기 문을 잠궜다. 응? 그리고는 아양 과장에게 여기있는 사람 전부 핸드폰을 걷으라고 했다. 으응? 설마 잘못 들은 거겠지. 아니면 팀장식 스타일 농담인가? 하고 다들 어색하게 억지 웃음을 지었다. 그러나 팀장은 '오늘 12시 전에 아무도 집에 못가. 갈 때 나한테 핸드폰 받아 가.' 라고 한쪽 입꼬리를 올리며 소름끼치는 웃음을 지었다. 다들 대학 때도 안겪어본 이 상황을 어떻게 받아들여야 하나 믿기지 않을 뿐이었다. 아무도 마이크를 드는 사람은 없었고 리모컨으로 노래를 예약하는 사람도 없었다. 아니 이게 회식이냐고 납치고 감금이지.

한명씩 나와서 재롱 좀 부려보라며 혼자 신난 팀장은 팀에서 제일 잘생기고 예쁜 신입들을 한명씩 무대로 불러 세웠다. 앗 나는 안불렸다. 나도 신입이었는데. 좋지만 좋지가 않네. 진짜 지옥 같은 분위기의 노래방에서 2시간이나 버텼고 눈치없는 노래방 사장님은 보너스 시간까지 주셨다. 결국 12시가 한참을 넘었고 다들 택시를 불러 집으로 가야했다. 경기도에 사는 파트장은 택시도 잡히지 않아 망연자실 하고 있었다. 그러거나 말거나 팀장은 혼자 택시를 타고 제일 먼저 가버렸고 나머지 사람들은 모두 일렬로 서서 택시가 멀어질 때까지 90도로 인사를 해야했다.

무슨 새마을 운동 세대냐고? 도대체 어떤 회사가 그러냐고? 불과 15년 정도 전 이야기이며 회사는 우리나라 굴지의 대기업이다. 그런 팀장이랑 같이 일하고 싶은 사람은 아무도 없었고 그 날 회식 이후 한두명씩 팀 이동을 신청했다. 나 역시 그동안 너무 하고 싶었던 그 회사에서 제일 잘 나가는 서비스의 음악 담당으로 이동 신청을 했고 실무진 면접과 임원진 면접까지 모두 통과했다. 드디어 탈출이었다. 아무리 오래 걸려도 한달 안에 책상을 옮기게 된다는 생각에 출근이 즐거워졌다. 그런데 일주일이 지나도 2주가 지나도 연락이 없는거다. 절차가 생각보다 오래 걸리네 라고 생각할 때쯤 그 미친 팀장이 나를 불렀다. 굳이 회사 내 카페테리아가 아닌 밖에 있는 커피숍으로. 그것도 회사 주변에 널리고 널린 게 커피숍인데 15분 정도는 걸어야 하는 회사 사람은 1도 마주칠 일이 없는 커피숍으로 나오라고 했다. 드디어 인사이동이 결정됐나. 그런데 이 싸한 느낌은 뭐지... 하필 비도 추적추적 오는 날 난 그녀가 비를 맞지 않도록 우산을 씌워주며 내 옷의 절반 이상은 다 젖으며 말 없이 걸어갔다. 불길하다.

"넌 내가 이 회사 나갈 때까진 절대 아무 팀도 못가. 그렇게 알고 지금 하는 일이나 똑바로 해."

진짜 역대급으로 무섭다는 공포영화를 볼 때 보다 그 순간이 더 소름끼쳤다. 그 쌩또라이는 일상적인 안부나 날씨 얘기조차 없이 단칼에 훅 들어왔다. 그동안 나 모르게 꽤 많은 일들이 진행되고 있었던 것이다. 음악 서비스 팀장이 정식으로 이동 요청을 했고 당시엔 이미 우리팀에서 몇명이 빠져나간 터였다. 부사장이 '그 팀 요즘 무슨 일 있나. 왜 이동이 이렇게 잦아.' 라는 말 한마디에 또라이는 마음을 먹게 된다. 본인이 맡고 있는 팀에서 팀원들이 자꾸 빠져나가면 본인 인사고과에 좋을 리가 없으니 더이상 팀원들은 다른 팀으로 이동을 하지 않게 하기로 한 거다. 아무런 이유도 없이 거부를 당한 음악 서비스 팀장은 부당하다며 회사 차원에서 정식으로 절차를 밟아 정당하게 요청을 한 것이니 원래대로 진행해달라 했으나 또라이가 괜히 또라이겠는가. 말도 안되는 핑계를 대며 배째라 해버리니 그쪽 팀장도 더이상 싸울 수가 없다며 어이가 없었지만 똥 밟았다치고 물러날 수밖에 없었다고 한다. 아니 그 여자가 똥이지 내가 똥은 아니잖아요.

아무말도 못했다. 와 진짜 이렇게 내가 바보같았나. 회사로 돌아오는 길에도 우산은 내가 들어 받치고 있었고 그 여자 옷은 보송보송했다. 난 절반이 아닌 온몸이 비와 절망감 그리고 비굴함에 젖어 있었다. 그리고 반년도 채 지나지 않아 그 또라이는 회사를 떠났다. 다시 음악팀에 연락을 했으나 그 땐 이미 다른 사람을 데리고 온 상황이었다. 그 악마는 지금도 누군가의 삶의 일부분을 짓밟고 있을 것 같다.

*

공공기관은 좀 다를 줄 알았다. 사기업이야 실적과 진급으로 기싸움에서 밀리면 안된다지만 공기업은 연차에 따라 정해진 연봉과 안정된 환경에 서로가 서로를 으쌰으쌰 해주는 분위기일거라 예상했다. 문화재단에 홍보팀장으로 들어갔다. 이제 신입도 아니고 내가 팀장이니 나만 잘하면 되겠지 뭐 특별히 문제될 건 없겠지 싶었다.

출근 첫 날, 재단장이 차담을 나누자고 했다. 코로나 19가 차츰 사그라질 때쯤이라 그런가 다들 실내에서 마스크는 벗는 분위기였다. 팀원들과 인사를 나누고 정신없는 첫 날이 갔다. 너무 긴장했나. 집에 오니 온몸이 욱씬욱씬 몸살 기운이 돌았다. 진통제를 몇번이나 먹었지만 아픈 건 밤새 더 심해졌고 설마 혹시나 라는 마음에 9시 이전에 여는 병원을 찾아 코로나 검사를 했다. 내 인생도 참 살벌하다. 여태 한번도 안걸리고 버틴 코로나를 새 직장 첫 출근 바로 다음날 걸린거다. 출근시간도 아직 안되었지만 실례를 무릅쓰고 인사팀 직원에게 바로 전화를 해 상황을 설명했다. 그렇게 꼬박 일주일을 쉬었다. 다시 출근하면 내 책상 없어진 거 아냐? 라는 농담 같지만 진한 불안감을 지울 수 없이 팀원들에게 미안한 마음으로 롤케이크를 사갔다. 다행히 다들 괜찮냐 걱정해주었고 몇명은 자기들은 두번 세번도 걸렸었다면서 어쩔 수 없는 상황이니 신경쓰지 말라고 했다. 하지만 곧 재단장의 호출이 있었고 살짝 떨리는 마음으로 단장실에 들어갔다. "김팀장은 신발부터 요란하네." 갑자기? 사무실에서 신는 슬리퍼로 초록색 리본이 달린 신발을 신고 있었고 베이지색 정장을 입고 있었다. 초록색이 싫은건가 리본이 싫은건가 그냥 내가 싫은건가. 날아온 말투는 떨떠름했지만 어쨌든 출근 바로 다음날 일주일을 쉬게 되어 죄송하다는 인사부터 했다.

재단장이 나에게 던진 첫마디는 내가 공무원으로 일할 자격이 없다는 거였다. 차담 자리에서 왜 마스크를 벗었냐며 무책임하는 거다. 그럼 차는 뭐 마스크 쓰고 방울방울 습기로 들여 마셔야 했을까요. 그때 몸이 안좋았다면 당연히 나도 마스크를 벗지 않거나 조퇴를 했겠지만 정말 아무렇지도 않았다는 게 내 잘못이었다. 다음날 구청장님과 회의가 있었는데 혹시나 본인도 옮았을까봐 참석을 못했다는 게 결론이었다. 상황도 알겠고 내가 잘한 건 없는데 또 내가 공무원 자격 운운할 만큼 잘못한 건 무엇이란 말인가. 개인적인 질병도 아니고 전세계적인 전염병에 어쩌다 우연히 딱 이 때 걸린 것 뿐인데 굳이 이렇게까지 존재 자체를 바이러스 취급 하는 건 좀 너무했다. 부장과 다른 팀장들도 들어오라고 하더니 "니네 똑바로 정신 좀 차리고 일 안해?" 라고 바깥 사무실까지 다 들리게 소리를 쳤다. 이번주까지 어떤 프로젝트를 마무리하라고 회의나 조율이 아닌 일방적인 명령을 내렸다. 그 날은 목요일 이었다. 금요일 퇴근 전까지 기획과 디자인 그리고 팜플렛 인쇄까지 하란 얘기다.

명령 전달식이 끝나고 바로 부장의 소집회의가 열렸다. 내일까지 팜플렛을 완성해서 재단장 책상 위에 올려놓으려면 오늘 밤을 새워야한다는거다. 디자이너는 존재하지도 않는데 기획도 완성되지 않은 상황에서 언제 업체에 맡기고 컨펌하고 인쇄를 하자는 거지? 부장은 회계를 보고 있는 옆 팀 대리가 전공이 디자인이라며 그 대리를 불러 오늘 밤샘작업이 있다고 통보했다. 대리는 한두번도 아니고 너무 일방적이라며 당일날 이러는 게 어디 있느냐고 안된다고 했다. 얼쑤 말 잘한다. 회계팀 대리! 하지만 회유를 가장한 부장의 협박에 대리는 결국 알겠다고 했다. 아니?! 이렇게 쉽게 넘어가줄 거야 회계팀 대리?! 퇴근 시간이 다 되었을 때 화장실에서 숨죽여 우는 목소리는 누가 들어도 회계팀 대리였다. 홍보팀은 꼬박 야근으로 기획을 넘겼고 밤새 디자인을 마친 대리는 다음날 출근하지 않았다.

그만 두겠다고 했다. 돌려 말하거나 거짓말을 하기 싫었다. 이런 불합리한 조직에 있을 필요도 없고 있고 싶지 않다고 했다. 한두살 먹은 어린애들도 아니고 다들 성인들인데 반말이 왠말이며 추가 수당도 없는 당일 밤샘 작업은 불법으로 신고도 할 수 있다고 했다. 부장은 충격을 받은 듯 했다. '반말이 어때서?' 내 귀가 잘못됐나. 너무나 지속적이고 반복적인 무례함에 저들은 뭐가 잘못된 지도 모르는구나. 이런 게 가스라이팅이구나. 부장은 다른 팀장들에게 나를 설득하라는 비밀스러운 지령을 내렸으나 부장이 자리를 뜨자마자 팀장들은 지금이라도 늦지 않았다며 하루라도 빨리 빠져나가라고 했다.

그냥 하는 소리가 아니었다. 하루 만에 그만두는 차장도 있었고 내 자리도 몇달 동안이나 비어있었다고 했다. 옆 팀장은 이유 없이 온몸이 아파 대학병원에서 온갖 검사를 하고 유명하다는 한 의원도 가보았으나 결국 정신건강의학과로 가보라는 권유를 받았다고 했다. 뇌출혈로 입원 중이던 옆옆 팀장은 환자복 위에 잠바만 걸친 채 부장의 전화로 사무실에 불려나와 일을 하는 모습을 내 두 눈으로 똑똑히 보기도 했다. 익명으로 회사들의 연봉과 복지 등을 평가하는 어플에는 그곳의 악명이 대단했다. 심지어 이것도 인사팀에서 말해준거다. 그렇게 하고 싶었던 문화재단 일이었지만 후회없이 나왔다. 얼마 전 공기업 채용공고 게시판에 그 곳의 채용글이 올라온 것을 보았다. 20명 정도가 되는 인원을 뽑는다더라. 이건 뭐 재단장 빼고 재단 대부분을 새로 뽑거나 다름없었다. 다들 생명 연장의 꿈을 선택했구나.

돈이나 직업의 안정성이 삶의 전부는 아니다. 그 악마들은 왜 항상 조직의 꼭대기에서 착하고 성실한 일반인들을 괴롭히는 걸까. 어쩌면 악마라서 그 자리에 오를 수 있었는 지도 모르겠다.

22. 진짜 무서운 건 어쩌면

　　매번 악몽은 같은 곳을 배경으로 같은 인물이 등장한다. 같은 인물이라기보다는 같은 귀신이라고 말하는 게 정확하겠다. 어릴 때 한옥에 살았는데 전설의 고향은 다 옛날이야기이다 보니 배경이 항상 우리 집과 같은 한옥이었다. 안 보면 그만인데 그게 또 그렇게 궁금해서 볼 수밖에 없는 매력이 있었다. 아무래도 전설의 고향 주인공은 원한을 가지고 죽게 된 머리를 풀어헤친 하얀 소복을 입은 귀신이 가장 인상적이었다.

　　아니 그냥 와서 사또한테 처음부터 이리저리하여 그놈이 나를 죽였으니 벌해달라. 이렇게 말을 하면 되지. 왜 계속 울면서 갑자기 불쑥불쑥 나타나기만 하는 건데. 왜 숲속에서 멀리 있는 나무부터 바로 코앞까지 슉 한 번에 날라오는 건데. TV 화면 크기가 요즘처럼 크지도 않고 화질도 안테나를 맞춰 볼 때라 그다지 좋지도 않았는데 장면 하나하나가 놀랄 노 자였다. 한여름에도 서늘한 기운에 이불을 뒤집어쓰고 보아야만 했다. 그런 날이면 아무리

더워도 머리부터 발끝까지 이불을 꽁꽁 싸매고 잘 수밖에 없었다. 귀신이 머리카락을 다 세면 죽는다는 소문에 머리카락을 내놓으면 안 되었기 때문이다. 샤워도 마음대로 할 수 없었다. 한옥이다 보니 화장실은 바깥에 있었고 너무 추운 날이면 샤워하기가 어려워서 머리만 감을 때가 있었다. 그러면 쪼그려 앉아서 머리를 앞으로 숙이고 머리카락을 감아야 하는데 그러면 또 위에서 귀신이 천장에 붙어있다가 자기 머리도 내려서 같이 감게 한다는 거다. 와 미치겠네. 내 머리숱도 한주먹이 넘는데 남의 머리까지 감겨주면 끝이 나질 않는다. 오늘따라 머리카락이 왜 이렇게 많지 하는 생각이 들면 그때부터는 아래도 못 보겠고 위는 더 못 보겠다. 입김이 하얗게 호호 나와도 다시 옷을 다 벗고 처음부터 샤워를 했다. 눈이 아무리 따가워도 감지를 못하겠다. 뜨면 귀신이 내 코앞에 거꾸로 매달려서 쳐다보고 있을까 봐.

아파트로 이사를 하고 나서도 매번 꿈의 배경은 우리 한옥집이었다. 자고 있으면 발이 바닥에 닿지 않은 채 공중에서 휙 하고 소복 귀신이 날아온다. 특별히 나에게 해를 가하거나 무슨 행동을 하는 건 아닌데 그냥 다가오는 것 자체로 얼음이었다. 손가락 하나도 마음대로 움직일 수 없고 소리를 질러도 소리가 나지 않는다. 그렇게 가위에 자주 눌렸다. 누군가는 나에게 무슨 지은 죄가 그리 크길래 쓸데없이 귀신을 무서워하냐고도 했다. 그러게. 귀신보다 더 무서운 게 있다는 걸 그 때는 몰랐다.

요즘에 제일 무서운 게 뭐냐고 누가 물어본다면 '사람'이다. 세상이 어떻게 돌아가는지 알아야 하는데 뉴스를 잘 못 보겠다. 너무 어이없고 황당하고 무서운 일들이 많아서다. 아무 일 없이 길을 걸어가고 있는데 정말 부모를 죽인 원수도 아니고 재산을 가로챈 사기꾼도 아닌데 아무런 이유 없이 칼로 찌른다. 일면식도 없는 사람을 따라가 돌려차기로 넘어뜨리고 의식이 없는 상태임에도 불구하고 무차별적으로 폭행을 한다. CCTV를 공개했다는데 도저히 볼 자신이 없다. 피해자는 두개골 내출혈에 뇌 신경 문제로 오른쪽 다리에 마비까지 와서 자연스럽게 걷거나 뛰는 건 하지 못한다고 한다. 길거리를 다니는 것 자체가 너무 불안해서 모든 게 달라진 삶을 살고 있다고 했다. 그런데도 가해자는 12년형이 너무 억울하다며 감옥을 나가면 피해자를 죽일 거라고 이를 갈고 있다고 한다. 무섭고 두려운 걸 뛰어넘어 제정신이 아닌 것 같다. 그다지 위로가 되는 말은 아니지만 그래도 예전엔 이유라도 있었는데 요즘엔 '묻지 마 범죄'라는 이름으로 아무런 이유 없이 누구나 피해자가 될 수 있다.

*

'디스토피아 vs 유토피아'라는 주제로 대학생들과 워크숍을 한 적이 있다. 외계인 침공이나 좀비 바이러스, 스스로 판단하고 인간을 제어하는 로봇, 환경오염에 의한 자연재해 이런 것보다 더 무서운 게 결국 사람이라는 결론이 났다. 그런 현상들이 진행되어 사람들이 죽기 전에 이미 사람과 사람 사이에서 서로 다 죽고 죽여서 인류가 멸망할 거라고. 지금 상황 자체가 이미 디스토피아인데 앞으로의 미래가 유토피아가 될 것인가 디스토피아가 될 것인가라는 토론 자체가 의미 없는 것 아니냐는 의견마저 나왔다. 유명한 영화나 드라마 <워킹 데드>나 <콘크리트 유토피아> 등 다양한 이유로 세상이 멸망하더라도 결국 제일 무서운 건 사람이라는 결론에 도달한다. 이런 세상에 아이를 낳는 것이 죄악이라는 생각이 든다는 학생도 있었다. 우리는 어떻게 살아 가야 할까? 나는 무엇을 해야 하는 걸까? 운이 좋아 살아있는 우리가 무엇을 어떻게 해야 하는지 고민하고 결정하는 것이 너무 어렵다.

오늘도 길거리에서 혹시라도 누구와 부딪힐까 봐 조심하고 최대한 눈에 띄지 않게 다니면서 문을 열 때도 주변을 살피고 들어오자마자 누가 쫓아오기라도 한 듯 위아래 잠금장치를 해놓는다. 그게 오늘날의 현실이다.

23. 무국적 빌런

여태까지 30개 정도의 나라를 여행하면서 제일 많이 들은 말이 무엇일까? 김치? 싸이? BTS? 아쉽게도 다 아니다. 그건 나를 한국 사람으로 봤다는 전제 하에 하는 말이니까.

나도 뜻을 알 수 없는 현지 말들. 그게 내가 제일 많이 들은 말이다. 그러니까 내가 어느 나라를 여행하든 여행객이 아닌 그 나라에서 지내고 있는 사람으로 본다는 거다. 그러기에 Hi 나 Hello 와 같은 여행객들에게 건네는 일반적인 인사가 아닌 그 나라 언어로 뭘 물어본다거나 대화를 시작하곤 한다. 물론 비슷한 외모를 가진 중국이나 일본은 충분히 이해를 한다. 지금이야 옷도 화장품도 글로벌화 되어서 비슷하다지만 예전에는 그래도 동북아 사람들끼리는 서로 은연 중에 멀리서 봐도 저 사람은 중국 사람, 헤어 스타일이나 화장법을 보면 일본 사람 이런 식으로 구분이 되었다. 혼혈이나 외국 국적을 가진 우리나라에서 활동을 하는 연예인들을 쉽게 구분할 수 없는 요즘엔 동남아를 가도 피부색이나 패션으로 국적을 가늠하기 어려운 시대가 되었다.

나를 그 나라 사람으로 보는 건 딱히 기분 나쁜 일은 아니다. 오히려 신기하고 재미있었다. 누가 보아도 같은 스타일을 가진 전형적인 하나의 국적이 아니라 그게 어느 나라든 그 동네를 산책하듯 편안하고 자연스럽게 여유있는 시간을 보내고 있다는 뜻이 내포되어 있다고 생각하는 건 자의식 과잉이려나. 심지어는 외국에서 자신과 같은 나라 사람인줄 알고 나에게 말을 걸었다가 어설프지만 맞장구를 치며 한참을 웃고 떠든 적도 있다. 라오스에서 만난 일본 남자 대학생들 이었다. 일본말을 할 줄 아는 건 아니지만 굴곡을 많이 넣어 '아~~ 쏘데쓰까' 라던지 '스고~~이' '나니나니?' 라고 애니메이션에서 보았던 몇마디로 분위기를 보며 맞장구를 쳤다. 전혀 눈치 못채고 짧은 시간은 실제 대화가 가능했다. 물론 바로 솔직하게 이야기했다. 사실은 장난이었고 난 한국 사람이라고. 여태까지 한 말 하나도 못알아들으니까 다시 얘기해달라고. 헐. 안속는다면서 농담하지 말란다. 나한테 할 수 있는 한국말 몇마디를 해보란다. 얘네봐라. 내가 정확한 한국말로 '독도는 우리땅이라고! 기무치 아니고 김치해봐 발음 똑바로 김!치!' 라고 말하기 전까진 믿지 않았다.

그 때 그 친구들도 나도 스스럼 없고 해맑은 영혼들이었다. 그 일본 학생들도 각자 혼자 여행을 온 거였는데 워낙 작은 도시라서 오며가며 마주쳤고 자연스럽게 같은 숙소에 묵게 되었다고 했다. 나도 몇번 지나가는 걸 봤는데 쟤도 일본인 같은데 같이 맥주나 한잔 하자고 할까? 자기네들끼리 얘기하고 있었다고 한다.

TV 예능 프로그램 '꽃보다 청춘' 이라는 곳에 라오스가 소개되면서 지금이야 우리나라에서도 유명한 여행지가 되었지만 내가 그곳을 여행하던 20년 전에는 그 도시에 현지인 말고 아시아 사람이라고는 딱 우리 넷이었기 때문에 서로가 눈에 띌 수 밖에 없었다. 넷 다 슬쩍 봐도 전형적인 범생이 여행 스타일은 아니었다. 네 명 모두 얼굴은 물론이고 몸에 선크림 한번 바른 적이 없어 새카맣게 탄 건 물론이고 캐리어 대신 배낭에 주렁주렁 컵이랑 담요를 달고 다니면서 정해진 여행지에 딱딱 코스를 밟아 하루를 알차게 쓰기 보다는 느긋하게 일어나 우선 라오스 국민 맥주 비어 라오부터 한잔씩들 때리고 낡고 헤진 슬리퍼를 끌고 동네 마실을 나갔다.

사실 그들도 나도 영어로 서로 세세한 표현까지 가능하게 대화할 정도의 수준은 아니었다. 그런데도 뭐가 그렇게 웃겼는지 넷이서 종일 붙어서 낄낄 거리면서 먹고 놀았다. 그 친구들도 일본에서의 생활이 지겨웠고 나도 한국에서 도망치고 싶을 때였던 것 같다. 여러 지방에서 온 그들 중 도쿄에서 자취를 하는 한 친구는 파인애플처럼 아프로펌을 하고 있었는데 자기 일본 방은 진짜 눕기만 하면 방이 꽉 차고 여유 공간이라고는 없어 일어나면 그대로 천장이라고 했다. 그래서 높은 건물도 없고 방에도 의자 하나 덜렁 있는 허허벌판 라오스가 좋다고 했다. 니 머리가 방에 반은 차지하겠다며 내가 놀려 넷 다 같이 웃어 재꼈지만 왠지 외롭고 비좁게 누워있는 모습이 떠올라 그의 영혼까지도 구겨질까봐 걱정 되었다.

나 역시 캄보디아에서 넘어왔을 때인가 그때 길거리에 앉아 땋은 머리를 했었다. 같이 수영을 하며 놀 때 내 허리춤에 있는 타투를 봤는지 나는 자기들이 여태 본 한국 여자하고는 이미지가 다르다면서 뭔가 배신을 당한 기분이 든다나. 한국 여자들은 상냥하고 항상 완벽하게 화장한 모습으로 성격도 얌전하다고 했다. 그럼 난? 아무튼 넌 진짜 우리과 라고 하며 기분 나쁘지 않은 웃음을 지었다. 나도 일본 남자들도 설마 다 너네 같은 건 아니겠지? 라며 서로 놀려댔다. 짧지만 하루하루 재미나게 놀았다.

　이제는 또 슬슬 도시를 옮길 때가 되었다. 셋은 같이 이동을 할 거라며 나도 같이 가자고 했다. 어차피 정해놓은 루트는 없었으니까. 그런데 거기까지였다. 혼자 여행 온 사람들은 다 이유가 있지 않을까. 나는 그랬다. 다시 혼자 또 다른 일본 사람들에게 '하지메마시떼(처음 뵙겠습니다)'를 하러 가야겠다며 우스갯소리로 거절을 했고 서로 붙잡거나 의미없는 겉치레 같은 건 하지 않았다. 물론 아쉬운 마음은 들었다. 여행을 하면서 이렇게 마음이 잘 맞는 사람 만나기도 어려운데. 하지만 혼자도 좋았다. 블루 라군의 신비한 물 속에서 혼자 아무것도 입지 않은 채로 수영해보고 싶었고 아름다운 예술의 도시 루앙 프라방의 야시장은 누군가와 함께 눈치껏 오고가며 눈도장을 찍는 게 아니라 그 곳만의 예술적인 숨결을 실컷 느끼고 감상하고 싶었다.

　그래서인지 외국을 여행할 때 한국 사람을 만나는 건 꺼려진다. 여전히 한국의 기준과 그들의 잣대로 나를 마음껏 가위질하기 때문이다. 그런데 문제는 속으로 하는 게 아니라 대놓고 말하는 사람들이 대부분이었다는거다. 당연히 내가 한국 사람이 아니라고 생각해서였다. '야! 쟤 봐 쟤. 아니 쟤 수영복에 브라 없는거야? 미쳤나봐. 왜일이니.' 왜일은. 다들 해변에서 비키니 입고 있는데 나혼자 한국에서 가져온 꽃무늬 원피스 수영복을 입는 게 싫어서 그 나라에서 세일하는 비키니를 하나 장만했다. 그런데 안에 패드가 없었다. 따로 사야하는 건가 싶어서 점원에게 물어봤지만 아니라며 원래 그렇게 나온 거라고 거기보면 패드를 끼는 고리도 없지 않냐며 요즘 다 이런 거 입지 누가 할머니처럼 일부러 패드를 껴서 가리냐고 익살스럽게 웃었다. 그러고 보니 거기에 있는 수영복을 대부분이 그랬다. 그래 남의 눈 생각해서 가슴 가리는 것까지 하면 됐지 뭐 나를 그렇게 꽁꽁 싸매느라 노력까지 할 건 무엇인가. 어차피 여기서 입고 편하면 됐지.

배가 울룩불룩 세 줄로 겹쳐도 서양인들은 남들 신경쓰지 않고 얇디 얇은 비키니를 입었다. 그걸로 욕하는 같은 나라 사람은 없었다. 70대 할머니도 세련된 블랙 & 골드 비키니에 선글라스를 끼고 엎드려 있으면 남편분은 탑매듭을 푸르고 오일을 발라주었다. 나이 들어서 왜 저러냐고 욕하는 같은 나라 사람은 못봤다. 그런데 내가 한국인이라는 이유만으로 브라에 패드 따위 없는 게 왜 미친 일이어야만 하는가. 할 말 있으면 와서 대놓고 하시던가. 수영복 뿐만 이었겠는가. 원피스는 왜 저렇게 등이 없어. 손목에 저 문신은 뭐야. 게스트 하우스에서 만난 외국 친구들이랑 노점에서 같이 맥주라도 마시고 있으면 여기 남자 꼬시러 왔나. 한국 사람 아닌 거 맞지? 등등. 언어의 낭비였다.

어릴 땐 그들에게 직접 다가가서 친절하게 한국말로 답해줬다. "야 다 들리거든?! 꼬우면 니들도 서양애들이 입는 수영복 맞게 C 컵이나 되고나 말해라. 아니면 닥치고 꺼지시던가." 그런다고 기분이 좋아지거나 그 사람들의 말이 하나도 신경쓰이지 않는 건 아니었다. 내가 한국 망신 시키고 있는건가? 동양 여자 혼자 다니는데 너무 위험한가. 그런 고민을 하는 시간이 아까웠다. 그래서 다음부터는 한국 여행 책자 대신 영어로 된 론니 플래닛이라는 걸 가지고 다녔고, 숙소도 한국인이 운영하는 게스트 하우스가 아닌 온갖 국적이 다 모여있는 혹은 현지인들이 묵는 숙소에서 혼자 지내곤 했다. 길거리에서 한국말이 들려도 관심없이 흘렸고 나에 대해 이야기 하는 것 같으면 자리를 피했다. 잘못한 건 없지만 괜한 시비로 시간들여 온 여행을 쓸데없이 망치고 싶진 않았다. 어차피 나도 그 사람들을 이해하고 싶은 마음도 없으니 말이다.

*

오히려 해외 여행을 하면서 국제적인 매너를 지키지 않는 어글리 코리안들에게 하고 싶은 말이 있다. 엘레베이터나 지하철에서 타고 있던 사람이 먼저 내리고 기다렸다가 타는 게 예의라는 겁니다. 어깨 부딪혀가며 어거지로 당신들이 먼저 타는 거야말로 대한민국 수준을 떨어트리는 거예요.

초면에 나이나 직업 어지간히 친해진 거 아니면 묻지 마세요. 우리나라야 나이가 힘이고 직업이 권력이라지만 처음보는 사람한테 그것도 외국인한테 그런 거 묻는 거? 예의 아닙니다. 나이로 이겨먹을려고 하는 거 외국 애들은 절대 이해 못해요. 엄마 아빠한테도 가끔 이름 부르는 애들이잖아요.

여행지에 가족 단위로 온 사람들도 많아 어린 애들도 듣고 있는데 '좋은 데 없어? 응? 마사지만 해주는데 말고 좋은 데 말야' 라고 큰소리로 떠들지 좀 마세요. 당신들 수준은 딱 알겠는데 그런 말을 한국말로는 하지 마시라고요. 같은 한국 사람인 거 쪽팔립니다.

길거리 담배 피우면서 침 뱉지 맙시다. 흡연에 관대한 유럽에서도 우리나라 카악 퉤 가래침 뱉는 거에는 경악을 합니다. 국제적으로 본인이 뱉은 침은 본인이 직접 핥아 먹는 벌이라고 생겨야 안하시려나.

누군가에게 직접적으로 피해를 주거나 도덕적으로 상식 이하의 행동을 하는 것이 아니라면 같은 나라 사람이건 다른 나라 사람이건 욕하지 말았으면 한다. 각자 자기 좋자고 내돈 내고 온 여행 아닌가. 다른 사람들을 평가하고 지적질 할 시간에 그 나라 문화와 일상을 조금이라도 더 즐기는 게 모두에게 이득 아닐까. 평소 습관이라는 안일한 핑계로 우리나라를 평가 절하시키는 행위는 지양하고 그 나라의 문화를 존중하고 이해하는 우리가 되었으면 좋겠다.

24. 도마뱀은 죄가 없다.

가로 1cm, 세로 1cm의 작은 네모로 머리카락을 나누어 촘촘히 땋아 늘어트린 헤어 스타일을 블레이즈라고 부른다. 지금은 길거리에서도 워낙 특이한 머리 색깔이나 색다른 헤어 스타일을 어렵지 않게 만나볼 수 있는 시대이다.

하지만 20여 년 전만 해도 그런 머리는 TV 속에서나 볼 수 있었다. 라기엔 내가 하고 다녔다. 사실 TV에서도 힙합 그룹에 드물게 보이는 몇 명 외에는 보기 어려웠다고 하는 게 솔직할 듯 하다. 블레이즈 스타일을 하고 다니던 때가 겨울이었는데 머리가 풍성하고 길게 보이도록 인조모를 넣어 허리까지 오는 긴 머리를 덮고 다녔더니 덕분에 아주 따뜻한 겨울을 보낼 수 있었다. 거기에 할머님들의 등산 손수건 비슷한 빨간 페이즐리 무늬의 두건으로 머리의 절반을 두르고 위아래 새빨간 벨벳 트레이닝복을 입고는 바퀴가 달린 운동화 힐리스를 타고 신촌을 누비면, 친구들은 창피해했다. 물론 졸업할 때가 될 때쯤엔 다들 익숙해져서 그러려니 하게 되었다. 일부 친구들은 나를 연예인이라고 부르기도 했다. 연예인만큼 예쁘거나 멋져서라기보다는 '니가 연예인인 줄 아니'라고 나 할까.

한번은 홍대에서 지하철을 탔는데 의자에 앉아계시던 한 할아버지가 가지고 계시던 지팡이를 나에게 휘두르셨다. 어느 집 딸내미 이길래 저런 요상한 머리를 하고 다니냐며 괜한 우리 부모님을 나무라셨다. 후레자식이라는 표현을 썼는데 그건 나에게는 해서는 안 될 말이었다. 실제 나의 아버지는 내가 어릴 적 돌아가셨기 때문에 홀어머니 밑에서 자란 자식이 맞기 때문이다. 하지만 의류 디자인 부티크 사장님이셨던 멋쟁이 우리 아빠가 블레이즈를 이해해주지 못할 리 없었다. 지금 보아도 우리 아빠의 젊었을 적 사진 속에서 볼 수 있는 스타일은 진정 힙스럽다. 청록색 혹은 진갈색의 조끼, 재킷, 바지를 세트로 맞추고 세련된 넥타이와 유니크하면서도 조화를 이루는 행커치프까지. 오히려 아빠가 살아계셨다면 남들과 조금 다르더라도 자신만의 스타일을 가진 막내딸을 대견해 했을 거다. 음, 대견까지는 아니더라도 그래, 그런 것도 청춘이지 하고 마음씨 좋은 웃음으로 나를 안아주셨을 거다.

물론 일주일에 한 번씩 머리를 감는 게 번거롭고 간지러웠지만 단지 우리나라에서 흔하지 않다는 머리를 했다는 이유로 등짝을 맞을 이유는 없기에 못 들은 척 다른 칸으로 피해버렸다.

*

목욕탕의 뜨거운 사우나에서 땀을 뺀 후 시원한 물로 샤워를 하고 있었다. 목욕탕 특유의 울림이 있는 소리가 웅성웅성 귀를 울렸다. 그러다 갑자기 익숙한 목소리가 그 수군거림보다 좀 더 큰 소리로 들렸다.

"내 딸인데요!" 우리 엄마였다. 내 등에 있는 타투를 보고는 어떤 아주머니가 옆에 때를 밀던 아주머니에게 '아이고~ 세상에 누가 몸에 저런 걸 그리고 다닌대요. 저것 좀 봐요. 뱀이야 지렁이야? 술집 나가는 여자 아니야?' 하필 그 이야기를 들은 옆에서 때를 밀고 있던 아주머니가 바로 나의 엄마였다. 그 아주머니도 참 운이 없었다. 내 뒤쪽 허리춤에 있는 건 뱀도 지렁이도 아니다. 내가 닮고 싶은 어쩌면 영원히 닮지 못할 두 번째 손가락만 한 작은 도마뱀이다.

대학생 시절 1년을 휴학하고 세계 이곳저곳을 여행하던 중 방바닥에 실핀이 떨어졌길래 몸을 숙여 핀을 주웠는데 갑자기 실핀이 두 개로 갈라지더니 그중 한 가닥이 파드닥하고 옆으로 튕겨나가버렸다. 시력교정 수술을 하기 전이라 안경을 써야만 눈앞 10cm가 보이던 때였고 샤워를 막 하고 나온 나는 안경을 쓰고 있지 않았다. 무슨 일인가 싶어 숙소 화장대 위에 둔 안경을 쓰고 다시 바닥을 내려다보니 아직도 꿈틀대는 실핀 한쪽은 도마뱀의 꼬리였다. 그리고 한쪽 구석으로 후다닥 도망쳐버린 건 도마뱀의 몸뚱이였다. 난시가 심한 나는 실핀이 떨어지자 무엇이 실핀인지 제대로 보지 못했고 괜스레 옆에서 단잠을 자고 있던 도마뱀의 꼬리를 잡았던 것이었다. 미안했다. 그리고 부러웠다. 거추장스럽거나 본인의 심신에 위협이 된다 싶은 것이 있으면 바로 자의로 끊어버리고 깔끔하게 달아나버릴 수 있는 용기가 나에겐 없었다. 한참을 멍하니 파닥거리는 도마뱀의 꼬리를 바라보았다. 항상 지나간 과거에 괴로워하고 다가오지 않은 미래를 끌어다 걱정하는 나 말고 지금만 생각하는 내가 되고 싶었다. 그 순간을 잊고 싶지 않았다. 그 길로 숙소 주인인 현지 친구에게 주변에서 가장 잘하는 타투샵을 물어보았다. 어릴 적부터 친한 동네 친구가 타투샵을 하고 있다며 소개를 해주었는데 난 행운아였다. 그 섬에서 제일 잘생긴 원주민이 하는 타투 가게를 소개받은 것이다. 태어나서 처음 해보는 타투라 무섭고 겁이 났지만, 그 잘생긴 타투이스트와 함께라면 등 전체라도 받을 수 있을 것은 용기가 샘솟았다. 뭐라고 설명을 해야 하지? crocodile? lizard? 너무 크고 징그러운 도마뱀을 그리고 싶은 건 아니었다. 그 타투이스트도 나도 영어가 모국어가 아니다. 벽을 타는 시늉을 해보고 꼬리를 자르는 흉내도 내보았지만, 멋진 태양 빛에 피부가 잘 그을린 잘생긴 그 타투이스트는 알아듣지 못했다.

고등학교 미술 시간이면 붓은 붓이요, 물감은 물감이로다. 하던 나였지만 어떻게든 설명해야만 했다. 종이와 펜을 달라고 해서 그림을 그렸다. 어라? 제법 그럴듯하다. 타투이스트도 그림이 마음에 든다는 듯 그대로 그림으로 새기겠다고 했다. 그렇게 내 등에는 가볍게 살 수 있는 용기를 가진 작고 귀여운 도마뱀이 자리 잡게 된 것이었다.

한국에 돌아와 단단히 혼날 각오를 하고 엄마에게 고백을 한 난 멋지다는 엄마의 쿨함에 은근 놀랐다. 엄마는 아빠가 운영하던 의류 부티크의 디자이너였다. 그런데 그 날 목욕탕에서 그 사달이 난 것이다. 엄마는 그 아주머니와 싸우지 않았다. 사람마다 각자 가진 생각의 기준이 다를 수 있으며 내 딸이 일반적이지 않다는 것에 굳이 대항할 생각은 없으셨던 것 같다. 엄마가 아무렇지도 않게 내 딸이라고 하자 그 아주머니가 되레 머쓱한 표정으로 '아, 개성이 강하네 딸이.'라고 엄마에게 어색한 웃음을 지었다.

아무튼, 난 그렇게 자꾸 패션 빌런이 되어 가고 있었다. 지금도 나는 이런저런 조금은 어이가 없기도 하고 조금은 화가 날 법도 한 말을 종종 듣는다. 그 나이에 왜 그런 머리 색깔을 하느냐, 좋아하는 애니메이션 캐릭터가 새겨진 옷을 입거나 가방을 메고 나간 날이면 어김없이 조카 옷을 뺏어 입고 온 거냐는 말을 듣곤 한다. 중학생인 질풍노도의 내 조카는 오히려 이런 옷은 입지 않는다. 그저 내 또래들이 입는 무채색의 원피스나 코트보다는 편한 청바지와 후드티 그리고 재미있는 모자들을 좋아할 뿐이다. 아주 가끔은 나로 인해 주변 사람들이 피해를 보거나 불편해하지는 않을까 걱정이 될 때도 있었다. 후레자식이라는 말로 우리 가족을 욕되게 할 때나 나의 작지만 용감하고 배짱 좋은 도마뱀을 보고 너는 그 문신 때문에 결혼도 못 하고 직장도 못 구할 거야 하고 저주를 퍼부은 사람이 있기도 했다.

하지만 그것들로 인해 상처받지 않기로 했다. 누군가의 가족이고 누군가의 지인이기 전에 나는 김태희 자체로 존재하기 때문이다. 온전한 나로 살기 위해 불필요한 꼬리표들을 과감하게 떼어내 버리기로 한다. 내 등에 있는 사랑스러운 Gecko처럼 말이다.

25. 내 곁에서 떠나가지 말아요

사랑하는 이 노래를 다시 TV에서 듣게 된 건 2015년이었다. 쌍팔년도 쌍문동 골목 다섯 가족이 나오는 드라마 '응답하라 1988'에서였다. 담배 반 갑 정도를 피우고 바로 노래를 부른듯 한 걸걸한 목소리가 여전히 매력적이다. '나의 모든 사랑이 떠나 가는 날이, 당신의 그 웃음 뒤에서 함께 하는데.' 故 김현식 가수 의 '내 사랑 내 곁에'이다.

이 노래를 처음 들은 건 아빠의 장례식이 있던 해 겨울 방송국 연말 시상식에서였다. 안방에 있는 컬러 TV 대신 가끔 옥상으로 가지고 가서 가족들이 같이 보곤 했던 작은 빨간색 흑백 TV로 가족이라는 온기를 대신할 뜨끈하게 데워진 전기장판 위에서 혼자 이불을 뒤집어쓰고 보고 있었다. 노래가 발매된 것은 91년 2 월이었다는데 장기간 암투병을 하시다가 결국 8월에 장례를 치른 우리 집에서 대중가요가 들리는 날이 있을 리 없었고, 마냥 지독한 침묵만이 익숙할 때였다. 그해 연말 가요 시상식에서 대상을 차지한 그 노래를 12월의 어느 겨울날 처음 듣게 된 것이었다.

그때 난 이제 막 꼬맹이 티를 벗은, 아니 그러기엔 아직 '철이 없는 욕심'이 무엇인지 '여린 가지 사이로 혼자인 나를 느끼는 게' 무엇인지 1도 알 수 없을 나이였다. 굴러가는 낙엽에도 웃음이 나거나 난폭한 언행이나 화농성 여드름으로 고생을 할 사춘기도 아닌 요만한 어린아이가 그 노래를 듣고 울어 버렸다. 처음엔 사랑이 곁을 떠나갔다고 하니까 그냥 좀 슬프겠다 하는 정도였는데 '약속했던 그대만은 올 줄을 모르고', '힘겨운 날에 너마저 떠나면 비틀거릴 내가 안길 곳은 어디에'라는 가사까지 듣고 나니 콧물이 눈물보다 더 많이 나오고 누구 한 명 봐주고 달래주는 이도 없는데 숨을 헐떡이며 혼자 울고 있었다.

아빠가 나를 두고 어디 안 간다고 약속해놓고 지금은 차갑게 얼어버렸을 땅에 묻혀버려 나도 같이 데려가 달라는 마음의 소리를 져버린 원망이었을까. 먹던 귤의 과즙이 질질 새서 이불을 적시는 줄도 모르고 눈 윗꺼풀이 두꺼비처럼 튀어나와 버릴 정도로 울음이 그치질 않았다. 이후로 의식적으로 그 노래를 피해 다녔고 시간이 지나 2015년에 예상치 못한 장면에서 그 노래가 흘러나왔을 때 역시나 '나의 모든 사랑이'이 첫 구절부터 툭 하고 눈물이 흘러버렸다.

노래는 그런 건가 보다. 아무리 오래 지나도 음악 재생 버튼을 누르듯 그 순간의 마음이 그렇게 아무렇지도 않게 푹 건드려지는 것 같다.

*

나의 시절 일명 '야자'는 실제 자유 의지 때문에 선택을 하는
야간 학습이 아니었다. 무용이나 골프와 같이 따로 연습시간이 필
요한 분야로 진로를 택한 학생들만 부모님의 동의 하에 빠질 수
있던 게 '야간 자율 학습'이었다. 그렇게 달갑지만은 않은 야자시
간에 감독 선생님 몰래 듣는 라디오나 음악은 그야말로 유일한
숨구멍 이었다. 요즘처럼 무선 블루투스 이어폰이 있던 때라면 아
마 훨씬 쉬웠을 텐데 우리는 기다랗고 자주 꼬이던 줄 없이는 음
악을 듣지 못했던 유선 이어폰밖에 없었다. 염색이 금지된 온통
까만색 머리에 하얀색 달랑거리던 줄은 감독 선생님이 굳이 교실
에 들어오지 않고서도 복도에서 창문만 열어도 한눈에 잡아낼 수
있을 정도로 알아보기 쉬웠다. 그래서 생각해낸 방법이 최대한 길
이가 긴 유선 이어폰을 사서 교복 블라우스 안에 넣고 왼쪽 손목
에서 꺼내어 턱을 괴고 있는 자세로 하얀색 줄이 보이지 않게 하
는 거였다.

풀리지 않는 수학 문제에 혼신의 힘을 다해 고민하듯 이 영어
단어를 어떻게든 외우고야 말겠다는 의지로 연습장이 뚫어져라
계속해서 동그라미를 치듯 그렇게 약간의 연기를 가미해서 말이
다. 하지만 간혹 꼼꼼한 선생님이 걸리는 날엔 메소드급 연기가
필요했다. 교실에 직접 들어와 책상 사이사이를 돌아다니며 감독
하는 선생님들에게 나도 모르게 리듬을 맞춰 까딱거리고 있는 발

이나 흔들거리는 샤프를 감추기는 쉽지 않았기 때문이다.

그렇게 조심성이 필요한 조용한 시간에 난 또 울고 있었다. 또 음악이 그랬다. 정확히 얘기하자면 가수 이소라 님이 그랬다. 1998년에 발매된 '슬픔과 분노에 관한' 앨범이 그랬다. 타이틀 곡인 '믿음'은 CD 플레이 버튼을 누르기가 무섭게 쓰린 생채기가 시작된다. '이것만 기억해요. 우리가 헤어지면 다시는 이런 사랑 또 없을 테니.' 두 번째는 더 하다. 태어나서 유일하게 팬레터를 딱 한 번 썼는데 보내는 사람과 받는 사람 자리를 바꾸어서 쓰는 바람에 다시 나에게 돌아온 슬픈 김민종 님과의 듀엣곡 '우리 다시'이다. '가난한 기억뿐인 나를 안아줘. 서로를 말하지 않아도 다 알고 있지 않아도 나는 느낄 수 있어. 네 안의 나를 받아줘.' 미쳤다. 가사가 미쳤다. 그래도 이 앨범 최애곡은 그 부분만 다시 재생해서 닳고 닳은 곡인 '내 곁에서 떠나가지 말아요.'이다. 가사는 사실 몇 줄 되지도 않는다. 너무 솔직하고 투박하게 사랑을 애걸하는데 이소라 님의 속삭임이 그렇게 애처롭고 아플 수가·없다. 몸은 교실에 묶여있지만, 마음이라도 날아가 나라도 옆에 가서 꼭 안아주고 싶었다. 이 노래들을 들으며 그냥 눈물 몇 방울 뚝뚝이 아닌 건조한 입술을 꼭 깨물어 피가 터지고 눈물범벅으로 필기를 한 노트의 글씨들이 다 번져버려 알아볼 수 없을 만큼 울고 있었다.

이때 처음으로 생각했던 것 같다. 아 음악은 사람이 살아갈 수 있는 이유가 될 수 있구나. 이 눈물 뒤에는 첫사랑의 아픈 사연이 있다. 비련의 여주인공이 되기엔 너무 혼자 좋아하고 혼자 아파하

긴 했지만, 온라인 영화 모임 정모에서 만난 그 반항끼 넘치고 후줄근한 재수생 오빠는 그 눈물의 대상이 되기에 충분했다. 안 그래도 나랑 키도 비슷한데 항상 구부정한 어깨에 담배 냄새를 풍기던 그리고 옷에 구멍이 나거나 때가 끼어도 개의치 않던 그 오빠는 그게 멋이고 매력이었다. 고등학생은 나를 포함하여 두 명밖에 없었고 대부분 대학생이나 사회인이었던 모임에서 담배는 커녕 치마 한번 줄여 입은 적이 없는 모범생 외모의 내가 그 건들거리는 오빠와 어울린다고 생각한 적은 없다. 그저 너무 정해진 아스팔트 길만 걷고 있던 나에게 그 오빠가 걷고 있던 바람이 휘날리는 모래밭은 동경의 대상이었던 것 같다.

대놓고 고백을 할 용기는 없었지만 한참을 고민해서 고른 선물을 주면서 비스름하게 분위기를 풍겼던 것 같긴 한데, 사실 고백도 하기 전에 차였다는 표현이 더 맞을 것 같다. 0 고백 1차임. 그렇게 성도 이름도 기억이 나지 않는, 지금 만나면 뒤통수라도 한 대 치며 재수한다는 놈이 뻔질나게 술 먹고 담배 피우고 뭐 하는 거냐고 부모님 생각해서라도 정신 차리라고 해주겠구먼. 그땐 그 사람이 뭐라고 그 마음이 뭐라고 그렇게 아프더라.

이번에는 기타를 배우고 싶어졌다. 인생에서 세 번째로 나를 울린 노래 가수 박 원님의 '나를 좋아하지 않는 그대에게'를 직접 연주하면서 부르고 싶어졌기 때문이다. 첫소절부터 '이건 내 노래구나'라는 생각이 들었다. '나의 사랑이 언제나 샘솟아서 당신의 마음을 모두 담아낼 줄 알았는데 날 담아두는 너의 마음이 그렇게 작을 줄 몰라서 나의 사랑이 모두 쏟아져 버렸어요.', '혼자 끝내는 오늘까지도 넌 너무 예쁘구나.'.

아니 무슨 가사들이 이래? 내 마음에 CCTV라도 설치했나 하면서도 아 누구나 한 번쯤 혹은 그거보다 더 많이 겪는 일들이라는 생각에 안도감이 들었던 것도 같다. 숨이 절반 이상을 차지하는 박 원님 특유의 화법이 너무 좋아 '노력', '이럴 거면 헤어지지 말았어야지', 'All of my life' 등등. 이제는 닳을 테이프도 CD도 아닌 인터넷으로 충분히 닳지 않는 마음으로 듣고 있다.

사람은 가끔 울어주어야 한다. 은연중에 쌓이고 있던 마음속의 찌꺼기들은 눈물로 배출하고 비워내며 일종의 정신적 승화작용으로 카타르시스를 느끼며 새롭게 시작할 수 있기 때문이다. '애써 웃음 지으며 돌아오는 길은 왜 그리도 낯설고 멀기만한지' 인 것처럼 빌런도 가끔은 눈물을 흘릴 필요가 있다.

26. 숨기지 않는 건 비밀이 될 수 없다

Going Gray를 하기로 했다. 20년이 넘는 시간 동안 고민한 끝에 내린 결론이니 충분히 신중했다고 볼 수 있겠다. 나의 하얀색 머리는 고등학교 때부터 시작되었다. 고등학교 2, 3학년 때부터 시작된 새치는 찾고 찾아야 발견할 수 있을 정도로 몇 가닥 되지 않았고 주변 사람들은 입시 스트레스 때문에 그럴 거라며 대학 가면 다 없어질 거라고 했다. 우리나라 만능 해결법. 대학 가면 된다. 거짓말 좀 하지 말자. 그나마 대학 가서도 조금 신경 쓰이는 정도에 그쳤기에 일 년에 한두˙번 친구들에게 짜장면이나 햄버거를 사주고 집에서 염색을 했다.

회사 생활을 하면서 본격적으로 새치가 아니라 흰머리라 부를 정도로 확실히 개수가 많아졌다. 간혹 '태희 씨, 그거 흰머리예요?'라는 불필요한 궁금증과 솔직함을 가진 사람의 질문을 들을 때면 잔뜩 움츠러들어 집에 오는 버스에서 앉지도 못했다. 사람들이 붐비는 퇴근 시간에 버스 의자에 앉으면 옆에 서 있는 사람이 바로 밑에 있는 내 정수리를 볼까 봐서였다. 그냥 흰머리가 좀 일찍 난 거면 난거지 그게 뭐 별 거라고 생각하면 그만일 수도 있지만, 나의 비밀스러운 부끄러움은 그것을 더 비밀로 숨기고 숨어들었다. 서른이 넘으면서는 염색을 하지 않은 달이 거의 없을 정도가 되었다. 나보다 나이가 많은 어른들은 내 흰머리를 보고는 '넌 무슨 어린 애가 나보다 흰머리가 많니?' 라고 꼭 한마디씩들 했다. 그렇게 더 안보이게 더 까맣게 흰 곳을 채웠다.

그러다 어느 날 문득 지겨웠다. 맨날 똑같은 곳에 출근해서 비슷한 일에 시달리며 주에 두세 번은 팀장이 좋아하는 중국집에 가는 것도 토할 것 같은데, 굳이 내 머리 색깔도 마음대로 정하지 못하랴. 중세시대 노예도 아니고. 보수적인 단체였기에 은근히 품행을 문제 삼아 퇴사를 권유받기를 기대했는지도 모르겠다. 탈색을 4번이나 하고 은색 머리를 했다. 지루해질 틈 없이 잘 익은 산딸기처럼 빨강으로 트리트먼트를 입히기도 하고 싱싱한 바다 미역 같은 초록색으로 색을 입히기도 했다. 주변에서 탈모를 걱정했지만 코랄색에 애쉬 퍼플은 나에게 행복감을 가져다 주었다.

그러는 중간에 다니던 회사를 그만두고 다른 회사 면접을 봐야 하는 상황이 왔다. 뭔가 세상에 굴복하는 것 같아 자존심은 좀 상했지만, 티는 내고 싶지 않았다. 이제 다시 색깔들이 좀 지겨워져서. 굳이 묻지도 않은 혼잣말 같은 대답을 하며 검은색을 입히기 위해 다시 색깔들을 빼는 탈색 작업을 했다. 집에서 염색을 시작한 게 한 두 해도 아니니 별 걱정 없이 혼자 욕실에서 탈색했다.

색이 워낙 짙게 물든 상태라 한 번에 싹 빼버리자는 무지해서 용감할 수 있는 선택을 했다. 1시간 정도를 탈색 약을 바르고 방치했다. 그리고나서 욕실로 들어가 머리를 감는데 머리카락이 너무 가벼운 거다. 마치 존재하지 않는 머리카락을 감으며 허공에 물로 손만 씻고 있는 듯한 이 느낌은 뭐지. 결혼식 뷔페에 빠지지 않고 나오는 오도독거리는 해파리냉채에서나 볼 법한 투명에 가까운 머리카락들은 하수구 구멍에 뭉쳐있을 힘도 없이 그렇게 숭덩숭덩 흘러내려 가고 있었고 그나마 두피에 남아있는 머리카락은 울퉁불퉁 개그 프로그램에 나오는 웃긴 불쌍하고 제정신은 아닌 것 같은 외국인 가발 같았다.

황당한 상황에 혼자 거울을 보며 웃다가 걱정됐다가 정신이 없었다. 가족들이 왜? 왜? 하고 달려와 내 머리를 보았을 때 이미 그들은 삐져나오는 웃음보따리를 잔뜩 숨기고 있었다. 당장 다음 주부터 출근인데 어떻게 하지. 슬슬 사태의 심각성과 현실이 와닿은 나는 가족들에게 그만 웃으라고 했다. 그리고 막막함에 눈물이 났다. 머리가 길 때까지 밖에도 못 나가고 아무도 못 만나는 거야? 이 상황을 뭐라고 설명해? 아무리 남의 눈 신경 안 쓰고 사는 나라지만 이건 도저히 감당이 안 됐다. 내가 울기 시작하자 옆에서 그 모습을 보는 가족들은 이제 더는 웃음을 참지 못하고 눈물이 쏙 빠질 정도로 구르고 있었다. 어차피 머리카락은 자랄텐데 그렇게까지 심각한 내가 이해가 되지 않는다는 거다. 평생을 그 정도 머리 길이로 살아온 그들에게는 그저 죽을 때까지 놀릴 거리가 하나 더 생긴 셈이었을 뿐이었다.

결국, 나의 분노와 좌절에 웃은 대가로 주말에 가발 가게에 같이 가기로 했다. 우선 원래 머리 길이 정도였던 단발 가발을 골랐다. 확실히 비쌀수록 가짜 머리인 게 티가 덜 났다. 이걸로 반년은 버틸 수 있겠구나 싶은 마음에 안정되자 다른 것들도 눈에 들어왔다. 평생 해본 적 없는 청순한 긴 생머리 가발도 한번 써보았다. 나 의외로 이런 게 어울리는 스타일이었나보다.

처음에 가발만 툭 썼을 때는 어색함에 눈이 질끈 감기고 한숨이 날 정도였는데 직원분의 빗질과 손질 몇 번에 내 머리라는 자신감은 만족스러울 정도였다. 돈은 이럴 때 쓰라고 버는 거였구나. 새 생명을 내려준 것 같은 고마움에 몇 번이고 감사하다는 인사를 하며 나왔다. 그렇게 나의 가짜 머리카락 생활은 염색하던 때보다 더 은밀하게 시작되었다. 기분에 따라 머리 길이까지 마음대로 바꿀 수 있으니 오히려 재미있기도 했다.

대학 때부터 내 머리 길이가 어깨를 넘는 걸 본 적이 없는 친구가 긴 머리 가발을 쓰고 나갔을 때 눈이 뒤집혀서는 진지하게 "야! 너! 설마 아니지? 왜 얘기 안 했어?" 소리치며 눈물이 그렁그렁해졌다. 내가 독한 항암치료를 해서 머리가 다 빠져버린 거라고 생각했던 거다. 고마움과 민망함에 아니라고 했는데도 아무리 생각해도 이상한 지 "진짜 아닌 거 맞아?" 긴가민가했다. 반 대머리가 되어 가발을 쓰게 된 사연을 듣고 나서는 '살다살다 별 걸 다 한다 정말.' 애정어린 핀잔을 들었다. 가발이란 새로운 세상을 만난 기분이었다. 동네에 이상한 소문이 돌기 전까지는 말이다.

저 집에 낯선 여자들이 들락거린다는 소문이 돌기 시작했다. 아침엔 분명히 긴 생머리 아가씨가 나갔는데 왜 또 저녁엔 단발 머리 정장 입은 사람이 들락거리는 건지 주말엔 또 비니를 쓴 숏 컷을 한 여자가 왔다갔다 하는건지. 아줌마들 사이에선 궁금증이 폭발했고 가족들이 괜한 오해를 사는 게 미안해진 난 다시 외출을 최대한 자제하기 시작했다. 소문도 소문이지만 봄이 지나고 여름이 오면서 더 큰 문제가 발생했다. 너무 덥다는 거다. 두피로 열이 발산되어야 하는데 그 열을 가발이 모두 머금고 있으니 에어컨을 빵빵하게 틀어도 얼굴에는 땀이 줄줄 흐르고 얼굴색은 하얗게 질려 다른 사람들의 걱정을 자아냈다.

도저히 안 되겠다. 동네 미용실은 무리고 한 번도 살아본 적 없는 곳까지 가서 처음 보는 미용실에 들어갔다. 모자를 벗고 '머리 최대한 짧게 다듬어 주세요.'라고 말했다. 끝은 푸석푸석 껍데기만 남은 단백질이라고는 찾아볼 수 없는 누런 색깔에 이제 막 자라기 시작한 거뭇하거나 하얀색 머리들은 서로 조화를 이루지 못하고 죽어가는 잔디 인형처럼 보였다. 엄청 사연 많아 보이고 그 미용실에 있던 사람들 모두 궁금한 게 많아 보였지만 미용사는 아무것도 묻지 않았다. 이럴까 봐 다정하고 친근한 인상에 말솜씨가 좋아 보이는 여성분 말고 무뚝뚝하고 근엄할 것 같은 남자 미용사분 앞에 앉았기 때문이다. 그것도 슬픔을 애써 감추는 표정으로 말이다.

그렇게 한바탕 난리를 치르고 머리가 잘 자란다는 맥주 효모 약에 비싼 영양제로 쓸데없는 돈을 써가며 몇 해가 지났다. 머리

숱 대신 손가락에 털이 풍성하게 자라났고 영양제는 맨땅에 물을 뿌리는 격이라 싹은 거의 틔우질 못했다. 다시 어느 정도의 머리 길이로 돌아왔을 땐 시간의 흐름도 원인이겠지만 그것을 감안한다 치더라도 훨씬 많은 양의 흰머리가 부쩍 올라와 있었다. 그때부턴 2주마다 한 번씩 이제는 일주일에 한 번씩 올라오는 구레나룻에 반짝반짝하는 흰머리를 감추느라 약속만 잡히면 염색부터 하기 바빴다. 그러다 보니 시력도 많이 안 좋아지고 머리숱도 절반 정도는 줄어든 것 같았다. 특히 염색을 자주 하는 앞머리 부분과 가르마는 검은색보다 두피가 더 많이 보일 정도였다.

머리숱과 색 둘 다 가질 수는 없었다. 원망해봤자 무엇하랴. 유전적으로 할머니, 엄마 다 이렇게 백발인 것을.

그래서 결정했다. 회색 머리를 길러보기로. 아직도 편한 후드 티에 찢어진 청바지가 제일 좋고 백팩을 메고 운동화를 신고 다니기에 이게 과연 매치가 될까 걱정은 된다. 누가 거리에서 뒷모습을 보고 무심코 할머니라고 부르면 어쩌지. 아직 그 정도로 머리가 하얗게 될 나이가 아닌데 일부러 저렇게 과한 멋을 부린 거냐는 선입견에 곱게 보지 못하는 시선이 있으면 어쩌지. 그래도 해볼 거다. 내가 부끄럽고 창피하다고 여기는 순간 그건 나의 약점이 된다. 별 거 아니라는 듯 넘겨버리면 자연스러운 것도 약점으로 잡아내려고 물어뜯을 준비가 된 하이에나들에게도 별 거 아닌 게 되어버린다.

어차피 빌런은 좀 남들과는 다른 유니크한 패션 감각을 선보이는 법이니까.

27. 기생충의 문광, 내가 죽던 날의 순천댁
그리고 미성년의 방파제 아줌마

처음 연극을 시작한 건 아침에 눈을 뜨고 싶어서였다. 마음을 자꾸 딱딱하게 만드는 연습을 하다 보니 웃는 방법도 우는 방법도 잘 생각나지 않았다. 화가 났을 때도 억울한 상황이 벌어졌을 때도 사회생활을 위해서는 괜찮은 척 아무렇지도 않은 척 별일 아니라는 듯 넘겨야 하는 일들이 많았다.

그렇게 사회용 가면을 장착한 채 하루 24시간 중 9시간 이상을 살아가다 집으로 돌아오는 지하철을 타고 까만 창문을 쳐다보면서 가면을 반쯤은 벗었고 감정이 존재하지 않는 듯한 무뚝뚝한 얼굴에 편안함을 느꼈다. 그러다 집에 도착했을 땐 거의 봉인이 해제되어 가족 아무와도 밝은 얼굴로 인사하는 법 없이 방으로 들어와 혼자 아무 말도 할 필요 없는 의미 없는 핸드폰으로 그다지 관심도 없는 영상만 주야장천 보고 있는 거다. 그러다 또 내일 사회용 가면을 장착하고 버티기 위해서는 어쩔 수 없이 억지로라도 잠을 자야 한다.

꿀을 탄 따뜻하게 데운 우유나 상추 몇 장으로는 해결될 잠이 아니었다. 꼭 좋아하지 않는 사람들만 등장하는 악몽에 반 이상 깨어있는 듯 밤새 괴로움을 견디다 보면 아침은 오고야 만다. 하이놈의 눈이 떠지지 않길 바랐는데.

그런 날들이 반복 되다 보면 내가 살아가고 있는 건지 살아지고 있는 건지 모를 지경에 이른다. 내 의지로 무엇이라도 해서 무거운 10t 트럭용 타이어에 족쇄라도 채워진 듯한 다리를 움직여봐야 한다. 기회는 노리고 있는데 이놈의 몸은 매일같이 침대행이니 바뀌는 건 없다.

*

아파트 헬스장에서 나오는데 게시판에 아트센터 연극반이라는 글자가 눈에 띄었다. 제일 먼저 확인한 나이 제한은 없었고 연극 경력 같은 건 필요 없었다. 요즘엔 아이들과 청년 그리고 노년기를 위한 프로그램을 많은데 그 중간 어디쯤 있는 세대를 생각해주는 사람은 아무도 없는 것 같다. 자아 성립과 진로 설계를 하기엔 늙었고 스마트 폰으로 사진찍기나 노래 교실을 다니기엔 어린 그런 어중간한 나이라고 생각하는 건가. 정작 지금이 인생에서 가장 큰 위기일지도 모르는데 말이다.

게시판에 압정으로 꽂아놓은 광고지를 사진으로 찍어서 거기에 나온 메일로 이력서를 제출했다. 최근 6개월 이내에 사진이라고 했는데 오륙 년 전 찍은 증명 사진이 너무 촌스러웠나 뭔가 자신은 없었다. 그렇게 메일을 보내고는 잊고 살았다. 다시 가면의 무게에 운전해서 집에 올 때 자꾸 욕을 하게 되고 빵빵거리는 일이 잦아질 때였다.

연극을 진행하는 센터에서 면접을 보러 오라는 문자를 받았다. 시간이 아주 많이 빠듯했다. 지방에 다녀와야 하는 일정이 있는 날인데 아무리 초스피드로 날라와도 30분 이상은 늦을 것 같았다. 전화 연락을 해서 제일 늦게라도 면접을 보고 싶다고 했지만, 다대다 면접이기 때문에 그렇게 한명 한명 사정을 봐주거나 기다려줄 수 없다는 현실적인 대답만 들었다. 한여름에 장마철은 안 그래도 막히는 길을 막혀도 너무 막히게 했다. 우선 면접을 보기만이라도 하고 싶었다. 아무렇게나 주차를 하고 기껏 차려입은 정장에 구두가 비와 땀에 다 젖을 만큼 뛰어 들어갔다. 이미 50분 가까이 지나있는 시간이라 한 명의 면접자를 기다려 줄 리 만무했지만 어떻게든 한 명의 면접위원이라도 남아있으면 잡아 붙들고 하소연이라도 할 참이었다.

면접장에 도착했을 때 한 무리가 열린 연습실 안으로 어수선하게 들어가고 있었다. 직원 목걸이를 걸고 있는 아무나 잡고 물어보았다. 아까 전화해서 늦더라고 면접 꼭 참여하고 싶다는 사람인데 어떻게 하면 되냐고. 그 사람은 비에 줄줄 흐르는 화장기 번진 채 숨이 턱까지 올라 제대로 호흡도 못 하는 나를 내보내야 하나 고민하는 표정이었고 마침 옆에 있던 키가 작고 선한 인상의 직원이 자기가 그 전화 받았다며 '김태희 씨 맞죠? 지금 마지막 조 들어가고 있어요. 의자 하나 더 가져다드릴 테니까 같이 면접 보세요. 하실 수 있겠어요?' 두 손을 꼭 잡았다. 인복이 이렇게나 참 많다 난.

어수선한 틈을 타 맨 마지막에 줄을 서서 그 직원이 가져다주는 의자에 스리슬쩍 옆으로 당겨 앉았다. 면접위원들이 한명 한명 부르며 자기소개를 해보라는데 순간을 놓치면 안 되었다. 숨을 차분히 고르고 젖은 머리와 땀을 꾹꾹 누르고 마지막 차례를 기다렸다. 마치 원래 정해진 시나리오처럼 어색할 만큼 틈도 주지 않고 바로 자연스럽게 내 소개를 했다. 솔직하게 말했다. 면접 순서가 이름 순이고 '김' 씨라 앞 조에서 면접을 봤어야 했는데 쏟아지는 비에 바꿀 수 없는 일정에 이렇게 실례를 무릅쓰고 면접이라도 보고 싶어서 들어왔다. 인생도 연극도 어쩔 수 없는 상황에 맞닥뜨리고 현실에 맞춰 최선을 다하는 것이 후회 없는 선택 아니겠느냐. 후회하고 싶지 않아서 주차 딱지 떼일 각오하고 달려왔다. 나도 연극하고 싶다.

가운데 앉아서 질문을 주도했던 면접위원장은 허허 웃으며 본인도 비 때문에 늦어 면접 진행이 늦어졌다며 그 마음 충분히 이해한다 했다. 하지만 이해와 현실은 다른 문제이기에 기대는 하지 않기로 했다. 어떻게든 면접은 봤으니 됐다. 나오면서 그 직원을 찾아가 다시 한번 고맙다는 인사를 하고 집으로 돌아왔다.

당락을 떠나 이미 뭔가 후련했다. 오랜만에 하고 싶은 걸 해봤다는 걸로 충분했다. 기대하기엔 무모했던 면접 결과는 그 고마웠던 직원이 직접 전화를 해서 이제 매주 뵙겠다고 전해주었고 그렇게 6개월 동안 몸을 움직이는 연습, 감정을 다채롭게 표현하는 연습을 해가며 우리 팀이 맡은 씬에 대해 토의하고 대사를 쓰고 디테일을 만들어 나갔다. 극을 올리던 당일 긴장해서 제대로된 식사 한 끼도 못 하고 몇십 년 만에 입어보는 교복에 사진을 찍고 추억을 남기느라 정신이 없었지만 즐거웠다. 내 의지로 내가 만든 무언가를 온몸으로 보여준다는 게 행복하고 좋았다. 소극장도 아니고 구에서 운영하는 아트센터 큰 극장에서 리허설을 하고 공연을 하니 멀쩡하게 술술 나오던 독백은 결국 본 공연에서 씹어 버렸다. 하지만 너무 아쉬워하진 않기로 했다. 이 정도 재미났으면 됐지 뭘.

항상 완벽해야 하고 잘해야 하만 좋은 거라고 믿으며 살아왔던 스스로 만든 가시밭길을 더는 걷지 않기로 했다. 가족들이 너무 해맑은 표정으로 맨 앞에 앉아 있는 게 조금은 부담스러웠지만 그래도 뿌듯했다.

그 뿌듯함은 코로나를 지나 몇 년이 흐르며 언제 그런 일이 내 인생에 있었나 하듯 흐릿해져만 갔고 침대에는 다시 내 몸의 형태가 그대로 남아있을 만큼 붙박이가 되어버렸다. 다시 연극을 찾았다. 이번에는 일반 직장인들이 하는 조금은 젊고 파릇파릇한 분위기의 극단을 찾았다. 대본을 가지고 하는 낭독극이라 암기에 대한 부담은 없을 듯했고 제목과 내용은 흥미로웠다. 매주 월요일이 연습이었는데도 누구 하나 빠지는 법이 없었다. 그만큼 절실한 사람들이 왔다는 느낌이랄까. 사람들과 친해져야 연극도 더 잘 할 수 있을 거라는 핑계로 피곤한 월요일 연습이 끝난 밤 10시였지만 뒤풀이 자리를 종종 가졌고 우리는 길지 않은 기간에 제법 마음에 맞는 사람들을 만났다.

이번 공연에는 가족뿐만 아니라 친한 친구가 케이크를 사가지고 왔는데. 낭독극 관객 대상이 성인용이라 대사에 욕도 있고 19금 대사에 불법적인 내용이 다반사인 걸 미처 생각 못 했다. 약간 민망하기도 했다. 무대와 관객석이 서로 코앞에 있는 소극장이었고 그제야 더 연습할 걸 하는 아쉬움은 이미 늦었다. 배우가 민망하면 관객은 귀신같이 눈치를 채고 더 웃는다는 선생님의 말씀에 미친 척 모른 척 연기를 했다. 대사에 약간의 감정만 넣으면 될 줄 알았던 낭독극은 오히려 몸과 소품이나 무대를 활용할 수 있는 일반극보다 더 대사에 집중해서 하는 연기력이 필요하다는 걸 이제 알았다니.

관객으로 왔던 친구와 무대에 대해서는 그 뒤로 나의 연기에 대해 이야기한 적은 없다. 이번 달 말부터 새로운 연극 연습에 들어간 걸 알게 되더라도 그 친구는 오지 않을지도 모르겠다. 하지만 난 다시 무대에 오른다. 이번엔 연극제에 도전해보기로 했다.

감히 배우 이정은 님의 미친 연기력을 존경하며 계속 꿈을 꾼다. 영화 <기생충>의 문광, 영화 <내가 죽던 날의 순천댁> 그리고 영화 <미성년>의 방파제 아줌마. 그들은 모두 사랑이다.

28. 김태희 TV

처음부터 이렇게까지 직설적으로 채널 이름을 지을 생각은 없었다. 장난삼아 연예인 김태희를 검색하다가 우연히 얻어 걸리지 않을까 하는 생각이었는데 당시 유튜브 채널을 운영하는 지인이 단순한 게 좋다며 그 이름으로 시작해보라고 적극 권했다. 과연 이게 먹힐까 계속 고민만 하다가 몇 달이 훌쩍 지나버렸고 더는 안되겠다 결심하고는 바로 시작해버렸다.

Youtube 김태희 TV. 대학 시절 인터넷 방송국 동아리 PD로 활동하면서 시트콤이나 인터뷰 등 다양한 장르로 카메라 앞에 서 보긴 했는데 하도 오랜만이라 그런가 애꿎은 거울을 쳐다보며 얼굴을 만지작 거렸다. 얼굴만 예뻐도 아프리카 TV나 유튜브에서 춤추고 먹으면서 연봉 수십억을 번다던데. 쓸데없는 생각할 시간에 콘텐츠로 승부를 보기로 했다. 영화 인문학이라는 새로운 분야를 개척하는 강사로 셀프 홍보를 하며 처음엔 블로그에 포스팅을 하기 시작했는데 다음엔 내 강의 사진들 그리고 점차 강의 예시 영상을 보고 싶어하는 의뢰인들의 니즈가 늘어났다. 영화 인문학 이라는 낯선 분야에 대한 소개, 강사 김태희가 누군지에 대한 정보 대공개 등을 시작으로 개봉작 중 핫한 영화를 인문학적으로 풀이하고 해석하여 영상을 올렸다. 그런데 결말을 스포하거나 일반적인 리뷰가 아니라서 그런지 큰 반응은 없었다. 어떤 걸 주제로 해야 유입률이 많아질까. 트렌드에 맞게 최신 뉴스를 찾아 코로나 19, 장마, 사건 사고 등 최신 이슈와 연관된 영화들을 모아 소개하는 것으로 방향을 잡아보았는데 뉴스는 더 인기가 없었다. 유튜브로 뉴스를 검색하진 않나보다.

누군가는 내 얼굴이 너무 많이 나와서 그런 거 아니냐고 했다. 엄청 예쁘고 잘생긴 거 아닌 이상 누가 5분 이상 TV에 나오는 유명 인사도 아니고 평범한 인간 그것도 인문학 강의를 들여다보고 있겠냐고. 속은 쓰리지만 틀린 말은 아닌 것 같았다. 오히려 당황스러웠던 건 옷은 어디서 샀는 지 귀걸이는 어느 브랜드인지 립글로즈는 몇 호인지 물어보는 사람들이 대부분이었다. 차라리 쇼핑몰을 차리는 게 낫겠다며 강의를 계속 하고 싶으면 얼굴없이 목소리만 나오는 게 어떻겠냐는 제안을 듣기도 했다. 눈물나게 솔직한 너의 가르침에 세상을 참 많이 배운다 친구야. 그렇게 한참을 쉬었다. 만들기만 하면 급부상할 줄 알았던 기대를 철저하게 져버리고 이제는 나도 내 채널에 들어갈까말까 하는 지경까지 이르렀다.

그러다 기타 연주 영상을 올렸다. 갑자기? 응 갑자기. 그것도 엄청 못쳤다. 처음 기타 수업을 한 날부터 연습한 영상을 찍어 코드나 음정 전혀 맞지도 않았다. 이게 영화 인문학과는 무슨 상관이지 라는 생각이 들었지만 어차피 사람들이 들어오지도 않는 거 뭐 내 이름걸고 내 마음대로 하겠다는데. 유튜브 영상을 기타 선생님께 보여 드렸다. 정말 많이 놀라시더라. 차분하고 길 물어보고 싶게 생긴 성당 오빠같은 이미지의 젊은 남자 선생님이었는데 이 정도 실력에 이렇게 자신있게 영상 올린 사람은 기타인생 20년만에 처음이라며. 진지하게 꼭 올리셔야겠냐고 물었다. 사실 실력이라고 부르기는 어려울 정도였다. 어차피 기타 잘 치는 영상은 많고 많다. 아무리 연습해도 내가 에릭 클랩튼이나 지미 헨드릭스가 될 것도 아닌데 뭐 어떤가. 심지어는 기타를 치며 노래도 했다. 그 순간만큼은 내가 이 채널 아이유였다. 아 지금 영상 다시 보고 왔는데 진짜 심호흡 크게 세번은 들이쉬고 마시고 준비한 뒤 시청해야한다. 다음 코드를 칠랑말랑 목소리가 가성에서 진성으로 갈랑말랑 그야말로 숨막히는 연주였다. 차라리 누가 악플이라도 달아주면 대댓글이라도 달며 신났을텐데 보는 사람이 없었다. 다시 또 1년을 쉬었다. 자의가 아니였다. 순전히 타의에 의한 휴식이었다.

코로나 19가 거의 종식되고 오프라인 강의가 다시 조금씩 시작되면서 본격적으로 강의 영상을 다시 올리기 시작했다. 어디서 들으니 주기적으로 업데이트 하는 게 제일 중요하다는데 강의만 가지고는 좀 지루할 수도 있다는 생각에 한창 운동에 빠졌을 때라 헬스 영상을 한번 올려보았다. 살이 많이 보이는 브라탑에 쫙 달라붙는 레깅스도 아니고 목 늘어난 헐렁한 짱구티에 무릎 튀어

나온 트레이닝 바지를 입고 핸드폰 뒤에 수건을 받치고 아무 생각없이 찍은 거였다. 근데 그게 3년 동안 정성을 다해 편집해서 올린 강의 영상들을 다 제치고 조회 수가 제일 잘 나왔다. 영화 인문학 채널에 운동 영상이 조회수 1등이라니. 진짜 내 얼굴이 나오는 게 문제였던건가. 정말 예측할 수 없는 게 이 세계였다.

이젠 그냥 내가 좋아하는 것들을 올리자고 마음 먹었다. 재즈 클럽에서 들은 그야말로 째지한 블루스 연주, 주변 사람들의 인터뷰를 담은 짤막한 영상, 심지어 조회 수가 천에 가까운 영상은 극장에서 조느라 영화도 제대로 보지 못했다고 솔직하게 올린 영화 리뷰였다. 아니 아무 내용도 없는 걸 왜? 이후로도 제주도 강의에 갔다가 재미로 찍은 릴스 그리고 야간 기차에서 만나 밤새 꼬질꼬질한 모습으로 기차역에서 어설픈 영어로 인터뷰한 태국 친구들 영상들이 조회수를 높여주고 있었다. 채널 이름을 김태희 TV로 짓기를 잘했다. 아니면 내가 태국 현지에서 무에타이 배우는 모습을 도대체 어느 카테고리에 올릴 수 있었겠는가. 옹박 테마를 만들 수도 없는 노릇이고.

지금 이 글을 쓰고 있는 시점을 기준으로 가장 조회 수가 많은 영상은 이 글을 쓰기 위해 공항에서 순간이동을 하는 컨셉으로 재미삼아 찍은 숏츠이다. 무려 4.7천. 어디서 무슨 영상이 나올지 모르는 게 이 채널의 매력인가보다.

일주일에 한두번씩은 여전히 꼬박꼬박 업데이트를 하는 나를 보며 주변 지인들은 안쓰러워 했다. 그렇게 열심히 만들었으면 누구라도 와서 보게 홍보라도 좀 하라고. 그러게 말이다. 피드 한번에 몇백씩 받고 라이브 방송은 몇 천 단위로 돈을 벌며 온갖 해외 여행과 비싼 식당들을 무상으로 협찬받아 사는 셀럽들도 많다는데.

난 열심히 공부하고 강의하고 편집해서 내 만족에 본다. 콘텐츠가 진정성있고 진짜 내용이 좋다면 내가 굳이 돈을 들이거나 누군가에게 기생하면서까지 홍보를 하지 않아도 언젠가는 누군가 찾아오지 않을까 라는 나의 순진무구한 생각에 어떤 사람들은 오만하다고 했고 어떤 사람들은 평생 기다려봐라 콘텐츠 하나로 아무것도 없는 니가 이길 수 있나 라고 현실적인 악담을 퍼부어주었다. 하지만 난 지금도 내가 좋아하는 걸 하고 살면서 그것을 사람들과 공유하고 싶은 게 전부다. 일말의 욕심도 없다면 거짓이겠지만 그래도 여기서만큼은 내가 나로 살 수 있는 공간이고 싶다. 또 어떤 테마로 김태희 TV 가 새롭게 거듭날 지 나도 궁금하다.

지금 이 글을 읽고 있는 그대들도 궁금하다면 구독과 좋아요 알람 설정을 하라. 바로 지금 당장!

29. 홍대 지하는 여전히 재미있겠지?

7살 많은 오빠 덕분에 비교적 나이에 비해 음악에 빨리 눈을 떴다. '빨간 립스틱 하얀 담배 연기 테이블 위엔 보석 색깔 칵테일 흔들리는 사람들 한밤의 재즈카페 하지만 내 노래는 누굴 위한 걸까?' 신해철 님의 재즈카페는 초등학생이 듣기엔 그다지 적절한 가사 내용은 아니었지만 사랑 이야기를 다룬 발라드가 대부분인 시절 어둡고 무거운 분위기를 특유의 감각으로 표현한 신해철 님의 노래는 새로웠다. 뭔가 어른이 된 기분이랄까. 달러 지폐를 잡으려 물속에서 헤엄을 치는 발가벗은 아기의 파란색 앨범 재킷이 인상적인 'NIRVANA'의 <Never Mind> CD는 닳고 닳도록 들어서 뜻은 몰라도 가사는 외울 정도였다. 시험공부는 해야 하는데 심심하다는 핑계로 오빠 방에 놀러 가서 밥상을 펴고 앉아 펴놓기만 한 문제집 앞에서 연필도 들지 않고 조용히 틀어놓은 음악만 들을 때도 있었다. "오빠, 이건 꼭 천국이랑 지옥 같은 기분이 들어. 좀 무서워" Offenbach의 <Orpheus in the

Underworld Overture>였다. 중학생이었던 내가 듣기엔 조금 어려웠지만, 나중에 알고 보니 이 곡은 국내에서 '천국과 지옥'이라는 이름으로 알려진 곡이었다.

오빠의 CD 장에는 클래식부터 록, 대중가요까지 없는 게 없었다. 오빠가 워낙 아끼던 소중한 보물이라 마음대로 열고 듣지는 못했지만 가끔 옆에서 귀동냥으로 듣는 것만으로도 충분히 다채롭고 새로운 세상이었다.

어릴 때 건반을 잘 못 치면 자를 세워서 손가락을 때리던 원장 선생님 덕분에 악기는 쳐다도 보지 않았었는데 대학교에 들어가 이런저런 기회로 밴드 공연을 접하다 보니 맨 뒤에 잘 보이지도 않는 데서 땀에 머리카락이 젖어가며 꽝꽝 북을 쳐대는 드러머가 그렇게 매력적일 수가 없었다. 나도 하고 싶다 저거. 당시에는 드럼 학원 자체가 워낙 드물어서 배울 곳이 마땅치 않아 마음만 먹고 있었는데 옆 학교에 우연히 알게 된 오빠의 소개로 드럼을 배울 수 있게 되었다. 지금 생각해보면 이름도 기억나지 않는 정말 친분이 없는 사이였는데 그의 친절한 오지랖에 감사할 따름이다.

처음엔 그 동아리에 모든 이들이 너무 어색했다. 아니 같은 학교도 아니고 연합 동아리도 아닌데 갑자기 옆 학교 다니는 애가 드럼 배우고 싶다고 떡 하니 동방 구석에 자리 잡아 벽 보면서 낡아서 너덜거리는 고무판을 치고 있으니 뒤통수가 따가운 건 어쩔 수 없었다. 돈을 내겠다고 하니 드럼을 가르쳐주는 오빠는 동아리에서 무슨 돈이냐며 정색을 했고 가끔 밥이나 사라고 했다.

일주일에 한 번 정도 가서 배우기로 했는데 어느새 동아리 대표 동생과도 친해져 수업이 일찍 끝나는 날이면 혹은 그냥 술 먹고 싶은 날이면 자연스레 동방에 갔다. 2학기엔 신입생 환영회에서 같이 부어라 마셔라 하고 있는 나를 당연히 이 학교 학생으로 아는 후배들이 생겨났다. 드럼 스틱을 하도 때려서 손에 물집이 잡히면 아프고 서럽기보다는 뿌듯하고 대견했다. 워낙 끈기가 없는 게 단점인지라 뭔가 인생에서 한 발 넘어선 느낌마저 들면서 이 정도면 됐으려나 하는 생각이 들 때쯤 열정이 들끓던 동아리 대표와 신입들이 공연을 기획하기 시작했다. 공연? 진짜 라이브 공연? 홍대 지하 공연장에서 하는? 이 학교 학생도 아니고 공연을 하기엔 실력이 턱없이 부족한 걸 알고 있던 터라 남의 얘기 듣는 기분으로 재미있겠다며 축하해주었다. "축하는 무슨. 당연히 누나도 같이해야죠. 어딜 빠지려고 해요." 기타에 미쳐있던 동아리 대표는 부러워하는 날 보며 어이없다는 듯 어떤 곡을 할건지 정하라고 재촉했다. 공연에는 높은 기수 선배들도 올 텐데 나같은 뜬금포가 웬 말인가 싶어 바로 거절했지만 아무리 생각해도 남 눈치 보다가 평생 한 번 뿐일 수도 있는 기회를 놓치면 안 되겠다 싶었다.

다시 돌아올 줄 알았다며 이미 선곡표에서 내 재량으로 할 수 있는 쉬운 곡을 두 곡 골라 놓았더라. 예쁜 것. 이쯤에서 그만 탐을 냈어야 했는데 그래도 공연인데 노래도 한 곡 하고 싶어졌다. 노래를 잘하는 사람이 보컬을 하고 나는 보컬을 할 만한 소질이 없다는 건 나도 알고 밴드 친구들도 알았다. 하지만 고정관념을 깨고 싶었다. 잘하는 것도 중요하지만 즐길 줄 아는 것도 중요한 거 아니겠냐며 크라잉넛의 <밤이 깊었네>를 선곡했다.

드럼을 맡아 연주한 곡은 지금도 첫 부분을 들으면 마음이 찡해지는 델리스파이스의 <고백>이었다. 학교 친구들이 홍대 지하 공연장으로 놀러와 응원을 해주었다. 생뚱맞게 우리 학교도 아니고 남의 학교 동아리에서 공연한다고 역시 외계인이라며 놀렸지만 가지고 온 해바라기 꽃다발은 은근 기분이 좋았다. 명색이 방송영상학과 인데 카메라를 빌려서 공연을 촬영하고 90년대 가요 톱텐이라도 찍듯이 회전을 슉슉 하는데 나중에 영상을 보니 하나, 둘, 셋 마른 입술로 박자를 맞추며 드럼을 연주하고 있는 새파랗게 질린 내가 담겨 있더라. 그때 구운 CD는 아마 이사할 때 누가 버린 것 같다. 아름다운 기억으로만 간직하고 싶지 파랗게 질린 스머프 한마리가 숫자를 세고 있는 영상을 굳이 간직하고 싶지는 않았나 보다.

음악을 사랑한 빌런. 지금도 가끔 후암동에 있는 재즈바에서 Funk Jam Day를 즐기곤 한다. 역시 음악은 내가 살아가는 이유 중 하나이다.

30. 예술을 사랑한 빌런

노트 끝자락에 연결되는 그림을 그려 빨리 넘기다 보면 순식간에 짧은 영화 한 편을 본 기분이 든다. 그렇게 짧은 시간에도 감동과 메시지, 슬픔, 분노를 느낄 수 있다. 그런데 가만히 움직이지 않고 살아서 숨을 쉬는 것도 아닌 그림 한 장은 어떨까?

그림을 보다가 나도 모르는 사이 눈물이 후두둑 떨어진 건 빈센트 반 고흐의 '해바라기' 였다. 실제 그림을 가까이서 볼 기회가 있었는데 겹겹으로 덧칠한 노랗고 누런 해바라기 꽃잎 한장 한장이 그렇게 애처로울 수가 없었다. 아슬아슬하게 매달려 있는 꽃잎은 그 나름대로 가엽고 슬프며 이미 떨어져 테이블에 흐트러진 꽃잎들은 안쓰럽고 딱했다. 워낙 유명한 그림이라 특별한 감흥따위 없을 줄 알았는데 숨을 꺽꺽 참으며 사람들이 다 있는 곳에서 그렇게 울게 될 줄 누가 알았겠는가.

그림에 영 문외한인 내가 그의 작품들은 물론이고 삶과 죽음까지 찾아보고 있었다. 20세기 미술운동인 야수주의와 독일의 표현주의가 발전할 수 있는 토대를 만들었다라던가 임파스토 기법의 표현주의적 후기 화풍처럼 어려운 미술사는 모른다. 고흐가 태어나기 전 죽었다는 그의 형 빈센트 빌럼. 그는 태어난 날 바로 죽었다. 자식을 먼저 보낸 안타까운 부모 마음이야 이해하고도 남지만 그렇다고 다음에 태어난 아기에게 죽은 아이의 이름을 그대로 따서 '빈센트 빌럼 반 고흐' 라고 짓는 건 어떤 의도였을까. 고흐는 죽은 형을 대신해 살고 있다는 생각에 항상 죄책감과 불행이 마음에 깔려있다고들 한다. 그림을 그리며 정신적인 고통을 승화시켰던 고흐는 아를에서 고갱을 만나 함께 그림을 이어나가고 싶어했지만 둘의 극명한 성격 차이는 고갱이 결국 떠나가는 것으로 끝을 맺었고 그 과정에서 고흐는 자신의 왼쪽 귀를 자르게 된다. 상상도 할 수 없는 끔찍한 자해를 한 고흐의 속마음을 알 수는 없지만 그렇게 해서라도 고갱을 붙잡고 싶었던 절실함은 아니었을까.

고흐가 물감이나 석유를 먹으려고 하며 발작 증세를 보이자 정신병원에 강제 입원을 당하게 되고 스스로 생레미 요양원에 들어가 작품 활동을 계속 하게 된다. 생레미에서 그린 작품이 바로 유명한 '별이 빛나는 밤에' 이다. 일부 연구자들은 이 시기의 그림에서 이미 고흐의 죽음에 대한 움직임을 읽을 수 있다고 보기도 했다. 사이프러스 나무는 서양에서는 한번 자르면 다시는 뿌리가 나지 않는 탓에 죽음을 상징하는 나무로 여겨졌다. 아를 시절에 강렬한 색채의 해바라기를 그린 것과는 상반된 태도라는 지적이다. 또한 별은 영원을 상징하는 것으로 죽음을 은유한 것이라는 해석이다. 생레미 요양원에서 퇴원한 고흐는 오베르쉬르우아즈에서 작품활동을 이어 나갔는데 그 중 하나가 '까마귀가 나는 밀밭'이다. 2018년에 우리나라에서 열린 '러빙 빈센트' 전시회에서 경험한 바닥부터 앞, 뒤, 양 옆 그리고 천장까지 원형 영상으로 작품을 오감으로 감상할 수 있었던 건 지금까지도 생생하다.

고흐의 죽음 역시 오베르쉬르우아즈에서 맞이했는데 자살이라고만 알고 있던 기존 이야기와는 다르게 살해당했다는 의견을 접했을 땐 적지 않은 충격과 답답한 슬픔이었다. 일반적으로 권총으로 자살을 시도할 경우 관자놀이나 턱 아래를 조준하는데 굳이 배를 향해 쏘았다는 건 자살이라고 보기 힘들다는 것이다. 그리고 고흐를 쏜 권총은 그가 죽은 1890년이 아닌 1965년에서야 발견되었다. 바로 죽음에 이르지도 못하고 이틀이나 총알에 의한 감염과 출혈로 괴로워 하다가 결국 죽고 말았다. 너무나도 비참하게 죽음을 맞이한 형의 죽음에 충격을 받은 테오 반 고흐마저 정신병이 생겨서 형이 죽은 지 6개월 후인 1891년 2월에 서른 넷의 나이로 형의 길을 따라갔다. 얼마나 잔인하고 서글픈 인생인가.

지금이야 네덜란드를 대표하는 화가로 박물관까지 세워지고 그의 그림은 상상하기도 어려운 가격에 거래되지만 인간 자체로 본 그의 인생은 너무나 숨막히게 권태로운 존재의 슬픔이었다.

그래서 그가 죽음을 맞이한 마지막 집 오베르쉬르우아즈에 직접 찾아가 보기로 했다. 프랑스의 작은 시골마을이었기에 불어를 전혀 하지 못하는 내가 혼자 찾아가는 여정이 쉽지는 않았지만 그것이 이 곳에 온 이유이기 때문에 꼭 가야만 했다.

그의 세계적인 명성이나 작품에 비해 정말 초라한 집이었다. 물론 그 당시 그대로의 침대와 의자, 테이블은 아니었지만 그의 그림을 토대로 같은 색상과 무늬 그리고 배치로 방을 꾸며 놓았다. 그의 침실로 들어가보았다. 보기만 해도 삐걱 소리가 날 것 같은 낡고 비참한 방이었다. 그곳에서 해설을 해주는 분의 설명을 듣고 있는데 또 왈칵 그가 느껴져 마음이 흘러 내렸다. 사람들을 피해 고흐와 테오의 무덤으로 찾아갔다. 무덤 앞에는 꽃 한송이 없이 찾는 이가 없었고 초록색 풀과 잿빛 돌에 새겨진 그들의 이름이 전부였다. 원래 예술을 하면 이렇게 척박하고 외롭고 처연한 것일까.

예술을 하는 사람들이 너무나 존경스럽지만 그만큼 가까이 하기엔 두렵다. 감각적이고 남들과 다르게 예민한 감성들을 가진 그들이 언제 죽음으로 끌려갈 지 모르기 때문이다. 인류 역사상 가장 위대한 음악가로 추앙받는 오스트리아의 천재 음악가 모차르트도 35년의 짧은 생을 살았고 천재 시인 이상 역시 마찬가지이다. 그렇게 잘생긴 얼굴을 삐뚤어진 눈과 코, 입으로 표현한 에곤 실레, 헤로인 과다 복용으로 요절한 바스키아 그리고 에이즈로 죽음을 맞이한 키스 해링. 예술가는 어렵고 무섭지만 존경스러운 존재이다.

*

그런 내가 시립 미술관에서 강의를 했다. 미술과 영화를 융합

한 인문학 강의로 말이다. 12월에 어울리는 연인을 위한 미술, 어린이들을 포함한 가족 단위의 미술 그리고 특정한 대상을 구분짓지 않고 모두가 들을 수 있는 미술 영화 강의를 준비했다.

서로의 다름에 끌리지만 그 다름 때문에 또 싸우고 헤어지게 되는 사랑을 보색에 비유하여 연인과 부부 사이의 마음을 서로 확인하였고 아이들이 좋아하는 애니메이션 캐릭터 등을 이용하여 색에는 한 가지만의 의미가 아닌 여러 의미가 담긴 것이라는 사실을 강조하며 다양성을 인정하는 마음을 갖게 도와주었다. 부모님과 함께 직접 그림을 그려보며 서로에게 바라는 점과 인정 받고 싶은 마음 그리고 사랑하는 마음을 표현하기도 했다. 모두가 들을 수 있는 영화 미술에는 위에서 만난 사랑하지만 아픈 화가 빈센트 반 고흐와 역시 자신의 아픔을 그림으로 더 높은 상태로 전환시킨 멕시코의 화가 프리다 칼로의 생애와 그림에 대해 설명하기도 하였다.

딱딱한 의자에 앉아 멀리서 보관을 위해 꽁꽁 싸여진 작품을 눈으로만 스윽 스치듯 감상하는 것이 아니라 푹신한 쿠션에 누워 편안하고 안락하게 온전히 그림과 나를 마주할 수 있는 환경을 요청했고 다행히 미술관에서는 그 요구를 들어주었다. 일방적으로 듣기만 하는 딱딱하고 어려운 단어들 대신 우리의 일상과 삶 속에서 직접 쓰고 듣고 보는 색채들로 삶을 메꾸어 보았다. 비운의 삶을 살고 있는 예술가는 아니지만 그들의 생애와 작품 덕분에 우리는 가슴으로 예술을 깨닫고 알아차린다. 그것이 내가 다양한 예술을 직접 경험하는 이유이다.

에필로그

글을 쓴다고 비행기 타고 멀리까지 와서는 종일 숙소 책상 앞에 앉아 컴퓨터만 만지작거리고 있으니 차라리 한국에서 어디 조용한 고시원이나 들어갈 걸 그랬나 싶었다. 나가서 밥 먹는 시간도 아까워 한번 나가면 4끼니씩 사 들고 와서 냉장고에 넣어놓고는 이틀에 걸쳐 차가운 밥을 녹일 전자레인지도 없이 모래알을 입 안에 굴리는 것처럼 굳어버린 밥풀과 떡처럼 뭉개진 국수로 버텼다. 간혹 야시장이라도 구경 나가면 쇼핑하는 사람들과 여유 있게 음주 가무를 즐기는 여행객들 사이에 조금 외로울 때도 있었다. 하지만 이렇게 원고를 다 쓰고 나니 역시 오길 잘했다는 생각이 든다. 이곳은 전기도 수도도 들어오지 않았던 코끼리를 타고 올라간 산속. 내가 20대 초반이던 시절 한국인 선생님 부부를 만났던 도시이기도 하다. 지금은 그 선생님 부부보다 내가 더 나이가 많아졌다. 다시 그때의 그 기분으로 글을 쓰고 싶어져 일부러 이곳까지 왔지만, 세월이 많이 흘러 이곳도 예전과 같지 않다. 물론 나도 그 때와 다르다. 아직까지 존재하는 지조차 모르지만 다시 그 산속까지 들어가 노트북이나 와이파이 없이 손으로 원고를 쓸 자신까지는 없어 산 꼭대기에 올라가보진 않았다. 그래도 그 시절의 나를 기억하고 마음을 상기시키고자 했던 노력은 스스로 기특하다는 생각이 든다. 죽음 대신 삶을 돌이켜보고자 했던 시작은 원대했다. 마음먹고 어릴 때 기억부터 끄집어내자면 하루에 원고 10장은 기본이고 책 두께도 어마어마해질 거라고 생각했다. 그런데 절반 이상이 지나면서부터 일부러 소재를 찾아내고 놓친 부분은 없나 차근차근 내 인생을 들여다보아야만 했다. 이게 한 사람의 이야기라고? 할만큼 무언가 스펙타클한 인생을 살았던 것만 같았던 나의 인생은 생각보다 평범했고 단순했다. 세상과 피 흘리게 싸워가며 뭔가 대단한 사명감까지는 아니지만 그래도 좋은 세상을 만들기 위해 노력했다고 생각했던 일들이 이야기를 풀어내며 다시 보면 부끄러운 것들도 많고 왜 그리 아득바득 버텨야했던가 후회되는 일들도 있다. 그렇다고 시간을 돌려 다시 어린 날로 돌아가기엔 너무 피곤하다. 지금이라도 깨달았으니 지금부터 편안해지면 된다.

이삼일 잠시 동안의 기간을 머물 게 아니라서 비교적 저렴한 숙소를 찾았다. 한국에서 사진으로 보기에도 조금 낡았지만 그래도 정감있고 조용한 시골 같았다. 하지만 비행기에 밤새 기차까지 타오 온 이곳은 신호등도 존재하지 않는 외곽에 엘레베이터도 없고 오래된 목조 건물이라 삐그덕 음산한 계단소리가 나며 심지어 화장실에서는 정말 오랜만에 바퀴벌레도 보았다. 사람 팔자는 어디 안간다고 했던가. 우리나라에서 3,460 km가 떨어진 이 숙소 윗층에는 내가 이곳에 머무는 내내 어느 한국 가족들이 함께 했다. 함께라기엔 얼굴을 보거나 대화를 나누어 본적은 없지만 오래된 문 틈 사이로 지나가는 말소리가 들리고 콩콩 바쁘게 방을 왔다갔다하며 하루에도 수백번씩 '언니~' 라고 부르는 아이들의 목소리는 옆집이 아닌 옆방처럼 느껴질 정도였다. 목소리로 추측해보건데 4살, 6살, 9살 정도 되는 여자 아이 셋이었다.

그래 한창 뛰어다니고 소리지르고 모든 게 신날 하루하루일거다. 한국 아파트의 층간 소음을 피해 실컷 아이들을 놀게 해주기 위해 방학을 이용해 일부러 이곳까지 온 것일텐데 나혼자 편하자고 아이들을 잡아 세우기도 불편했다.

워케이션. 말이 좋아 일도 하고 휴가도 보내는 거지 이건 뭐 그냥 돈 많이 들여 오히려 열악한 환경에서 햇빛 한번 못 보고 방에 갇혀 스스로 마감의 조급함과 싸우는 것은 아닌가 생각도 들었다. 그래도 또 글을 쓸 거다. 단편 소설이 될 수도 있고 또다른 에세이가 될 수도 있으며 시놉시스나 대본이 될 수도 있다. 글을 쓴다는 것은 그 분야가 무엇이든 나의 일부가 드러나는 작업이기도 하고 잊고 살던 혹은 숨기고 싶던 과거를 들추어내는 불편한 과정이기도 하다. 적어도 나에게는 그랬다. 그 과정에서 가슴이 답답해 잠을 이루지 못한 밤도 많았고 혼자 마음놓고 울어버려 다음날까지 얼굴도 마음도 팅팅 부어 한 글자도 못쓴 날도 있었다. 다음에 글을 쓸 땐 너무 짧은 시간 안에 채찍질을 해서 글을 끌어내는 것 말고 자연스럽게 풀어나오도록 해보아야겠다.

글을 쓰면서 최대한 나의 삶에 집중하고 최대한 누군가의 삶을 드러내는 일은 하지 않기 위해 노력했다. 혹시라도 이 책이 베스트 셀러가 되어 책을 읽는 이 중에 이거 나 아니야? 라는 생각이 든다면, 서로 모른 척 하기로 하자. 특정 단체나 개인을 비난하거나 공격할 의도는 없었다. 그저 우연히 스치듯 재수없는 타이밍에 그들과 내 인생이 잠시 꼬였던 것 뿐이니까.

그 짧은 기간에 시작하는 글이라도 쓰고 오면 잘 한거지 라는 시나리오를 쓰는 친구의 말이 생각난다. 무슨 일이 있어도 책은 꼭 완성하고 한국으로 돌아오겠다는 스스로와의 약속을 지킨다고 억지로 쓰여진 글은 없는지 반성해본다. 그렇더라도 이제는 어쩔 수 없다. 다음에 더 잘 하면 되는 거다. 마무리라 생각하니 자꾸 무슨 말이라도 해서 끝을 내고 싶지가 않아진다. 이럴 때 깔끔하게 끝내자.

나 스스로를 빌런이라 칭하는 이 책의 의미를 이해하고 공감하고 위로받는 사람이 있기를 바란다. 다른 사람보다 좀 모나도 각이 져서 둥글둥글 잘 굴러가지 않아도 괜찮다고 말해주고 싶다. 아니 어쩌면 그래서 우리들이 존재하는 지도 모른다. 세상에도 우리 같은 존재는 분명 필요하다. 이 불행과 고난을 나 때문이라고 생각하지 말고 이렇게 생겨먹은 나를 최대한 잘 써먹어보자. 또 만나자 빌런들이여!